Le sens de l'humour absurde au Québec

Collection
Quand la philosophie fait pÓp !
Exploration philosophique de la culture populaire

Collection dirigée par **Normand Baillargeon** et **Christian Boissinot**

Philosophie : discipline qui pose depuis plus de 2 500 ans ces grandes et fondamentales questions concernant le sens de la vie, la nature de la vérité, le bien, le beau, etc. ;

Culture populaire : désigne cette partie de la culture réservée au peuple, généralement opposée à la culture savante, propre à l'élite ;

Faire pop : éclatement des frontières de la philosophie, ouverture à des sujets plus prosaïques, mise à l'écart d'une terminologie trop technique ;

L'ambition de cette collection : cerner philosophiquement les aspects de notre condition humaine que nous révèle la culture populaire, en conjuguant accessibilité et humour.

Titres parus

Normand Baillargeon et Christian Boissinot (dir.), *La vraie dureté du mental. Hockey et philosophie*, 2009

Normand Baillargeon, *Raison oblige*, 2009

Normand Baillargeon et Christian Boissinot (dir.), *Je pense, donc je ris. Humour et philosophie*, 2010

Normand Baillargeon, *Là-haut, il n'y a rien. Anthologie de l'incroyance et de la libre-pensée*, 2010

Michel Métayer, *Guide d'argumentation éthique*, 2011

Vincent Billard, *iPhilosophie. Comment la marque à la pomme investit notre vie*, 2011

Normand Baillargeon et Christian Boissinot (dir.), *Quand Platon écoute les Beatles sur son ipod*, 2012

Le sens de l'humour absurde au Québec

Essai

Simon Papineau

Presses de
l'Université Laval

Les Presses de l'Université Laval reçoivent chaque année du Conseil des Arts du Canada et de la Société de développement des entreprises culturelles du Québec une aide financière pour l'ensemble de leur programme de publication.

Nous reconnaissons l'aide financière du gouvernement du Canada par l'entremise de son Programme d'aide au développement de l'industrie de l'édition (PADIÉ) pour nos activités d'édition.

Mise en pages : Diane Trottier
Maquette de couverture : Laurie Patry
Illustration de la couverture : Vivian Labrie

ISBN 978-2-7637-9869-1
PDF 9782763798707

LES PRESSES DE L'UNIVERSITÉ LAVAL
www.pulaval.com

À la mémoire de Jean-Pierre Desaulniers

Table des matières

BLOC 1
L'HUMOUR ABSURDE MODERNE CÉRÉBRAL :
LA CIBLE, C'EST LA RAISON

BLOC 3
L'HUMOUR ABSURDE MODERNE SOCIAL :
LA CIBLE, C'EST LE SOCIAL

Chapitre VII
Patrick Groulx : *Le Groulx luxe, c'est n'importe quoi !*   99

Chapitre VIII
Ici Louis-José Houde et Dolloraclip : rire du démodé !   109

Chapitre IX
Phylactère Cola : l'humour bédéiste.   113

Chapitre X
3600 secondes d'extase : l'humour hybride.   117

BLOC 4
HUMOUR ABSURDE MODERNE QUÉBÉCOIS :
POT-POURRI DES NON-CLASSÉS

BLOC 5
ANALYSE PSYCHOSOCIALE DE L'HUMOUR
ABSURDE MODERNE QUÉBÉCOIS

Introduction

D epuis quelques années, une nouvelle vague d'humour déferle sur le Québec et semble provenir des 15 à 40 ans. Elle s'infiltre de plus en plus dans les médias, allant jusqu'à influencer la publicité. On n'a qu'à penser à l'humour des Chick'n Swell, des Denis Drolet, de Bruno Blanchet, Jean-Thomas Jobin, André Sauvé, aux émissions *3600 secondes d'extase* et *Les Pieds dans la marge* ou aux publicités de Rogers pour ne nommer que celles-là. Pour qualifier cet humour difficile à définir et à catégoriser, les médias préfèrent utiliser l'expression « humour absurde », alors qu'il n'existe aucune définition scientifique du terme comme tel.

> Ils sont certainement plus nombreux que pendant les années 1990, 2000-2001 à pratiquer le genre. L'absurde semble dominer et parfois même occuper entièrement l'espace du discours, particulièrement avec les Chick'n Swell et les Denis Drolet[1].

Cette classification est, à mon avis, un peu simpliste par moments, aussi ai-je décidé de m'y attarder davantage dans ce livre en me familiarisant avec les degrés de l'absurde et en tentant de comprendre d'où vient cet engouement des Québécois pour cette forme d'humour à la fois « simple », riche et profondément complexe. Pourquoi est-ce si populaire ? Quelle est la logique de l'absurde moderne ? À quels besoins latents de la société répond-il ? Dans quels courants de pensée cette forme d'humour s'inscrit-elle ? À l'instar des lois physiques, y a-t-il quelque chose au-delà du

---

1. David Savoie, « L'envol de l'absurde » (citation de Robert Aird), *Le Droit*, 20 septembre 2004, p. 25.

«vide»? Bref, que cherche à exprimer l'humour absurde moderne québécois? J'ajoute le qualificatif «moderne» à l'expression afin de ne pas la confondre avec l'humour que nous qualifions d'absurde au Québec dans les années 1960, 1970 et 1980 avec les Ding et Dong et compagnie. *Grosso modo*, je m'intéresse principalement à la nouvelle génération d'humoristes de l'absurde qui a contribué à cette mutation du genre et mes objectifs principaux seront de définir, d'exemplifier, de catégoriser, de vulgariser et d'analyser l'humour absurde moderne québécois.

Pour y parvenir plus concrètement, il me semble essentiel, dans un premier temps, de donner une définition personnelle de «l'humour absurde moderne québécois» et de certaines formes qui s'apparentent à celui-ci, dont le non-sens, l'absurde classique et l'humour noir afin de ne pas les confondre. Il est aussi primordial, selon moi, d'évoquer brièvement les possibles influences de certains courants de pensée du XXᵉ siècle, comme la pataphysique, le dadaïsme, le surréalisme et le théâtre de l'absurde, sur la genèse de l'humour absurde moderne québécois. Ce sera l'objet du premier chapitre. De cette manière, il deviendra plus facile de décrire et de vulgariser les mécanismes généraux et particuliers de l'humour absurde moderne à l'aide d'exemples personnels et d'autres empruntés aux humoristes. Le but ici n'est pas nécessairement de faire rire, mais plutôt de parvenir à démontrer la richesse ainsi que la subtilité des degrés d'humour absurde qui cohabitent. De plus, c'est en étant sur la voie du «n'importe quoi», en tendant vers ce concept, que je risque de mieux comprendre ce qui se cache derrière!

En second lieu, comme il ne faut jamais isoler une variable de son contexte et que l'humour est souvent le reflet de quelque chose, je veux aussi expliquer dans quel contexte psychosocial l'humour absurde moderne québécois prend forme afin de mieux cerner ses influences. Après avoir défini l'humour absurde moderne québécois et son contexte, je terminerai mon premier chapitre en proposant quelques hypothèses qui serviront de piste de réflexion tout au long de cet ouvrage. N'ayez crainte, l'idée ne sera pas de vous soumettre à une séance de «masturbation intellectuelle» complaisante, mais plutôt de jeter un second regard sur ce type d'humour en rapport avec notre société. En effet, comme l'humour absurde prend forme dans l'irrationalité, l'illogisme et qu'il découle de processus parfois inconscients, trop vouloir l'intellectualiser risquerait alors de le dénaturer et de nous en faire perdre son essence! Après tout, «l'expression commence où la pensée finit[2]», nous dit Albert Camus!

Afin de mettre un peu d'ordre dans ce que certains qualifient d'humour «nouveau genre», le chapitre II sera consacré essentiellement à la définition et à la classification des principaux types d'humour absurde. Ainsi, il vous sera possible de comprendre les différences qui existent entre l'humour absurde des Denis Drolet et celui des Chick'n Swell ou de Jean-Thomas Jobin par exemple. Toutefois, il faudra garder en tête qu'à l'image de la musique, l'humour étant en constante évolution, il devient difficile de le cloisonner en catégories restreintes.

Comme je me questionne sur ce que cherche à exprimer l'humour absurde québécois actuel, je m'intéresse davantage à l'émetteur qu'au récepteur, à l'humoriste absurde moderne comme tel. Pour écrire cet essai, j'ai décidé d'être en contact avec mon sujet de recherche en faisant appel à des techniques d'enquêtes plus traditionnelles, comme les entrevues, l'observation et l'analyse de contenu humoristique afin de parvenir à une réponse plus scientifique et proche de la réalité.

Après avoir répondu aux questions: «quoi?», «qui?» et «dans quel contexte?», à partir du chapitre III, je m'attaquerai au cœur du sujet. La catégorisation des types d'humour faite au chapitre II deviendra l'épine dorsale de cet essai sur laquelle je me baserai pour dresser un portrait et faire une analyse des principaux humoristes que l'on qualifie d'absurde au Québec.

Le portrait sera subdivisé en trois grands blocs d'humour absurde moderne que je définirai davantage ultérieurement: l'humour absurde moderne cérébral, l'absurde psychoaffectif et l'humour absurde moderne social. Je consacrerai un bloc supplémentaire à un pot-pourri d'humoristes plus difficiles à classer, dont André Sauvé et son humour absurde philosophique. Ainsi, je

---

2. Albert Camus, *Le mythe de Sisyphe*, Paris, Gallimard, 1942, p. 135.

passerai au peigne fin l'humour des Denis Drolet, de Jean-Thomas Jobin, des Chick'n Swell, de Bruno Blanchet, André Sauvé et Marc Labrèche, des émissions *Les Pieds dans la marge* et *Phylactère Cola*, de Louis-José Houde (*Dollaraclip* et *Ici Louis-José Houde*) et de bien d'autres. C'est en m'attardant à leur biographie, à la description de leurs styles ainsi qu'à l'analyse détaillée de leurs mécanismes humoristiques que j'arriverai à répondre à la question principale au moyen d'exemples, d'analyses de contenu, de citations d'entrevues, d'analyses psychosociales et parfois même psychanalytiques. Faire de l'humour absurde : facile et superficiel vous croyez? C'est ce que nous verrons !

Le dernier chapitre est, en quelque sorte, une récapitulation des analyses faites pour chacun des humoristes afin de faire ressortir les points en commun de l'humour absurde moderne, toutes catégories confondues. En d'autres mots, il s'agira d'une analyse détaillée des résultats qui permettra de revenir sur les pistes de réflexion de départ et d'en tirer une conclusion au moyen de résumés schématiques et d'organigrammes. Bref, découvrir le sens de l'humour absurde moderne.

Pour conclure cet essai, je ferai une brève synthèse et j'extrapolerai mes analyses en tentant de prédire à quoi pourrait ressembler le paysage de l'humour au Québec dans les prochaines années.

CHAPITRE I

Qu'est-ce que l'humour absurde moderne québécois ?

Introduction

Pour être en mesure de dire ce que cherche à exprimer l'humour absurde moderne québécois, il faut d'abord et avant tout le définir et le situer dans l'histoire. Véritable fourre-tout que certains nomment « humour nouveau genre » pour se simplifier la tâche, cette forme d'humour semble être un caméléon dont l'identité reste encore ambiguë et dont les frontières sont difficiles à définir. Par moments, nous avons l'impression de nager en plein cœur de l'univers d'Ionesco ou de Paul et Paul lorsque nous sommes au pays des Denis Drolet ou dans celui des Chick'n Swell, alors que deux et même trois contextes générationnels les séparent. Pourtant, si l'on s'attarde plus longuement à l'humour que nous qualifions d'absurde aujourd'hui, il est possible de percevoir une certaine mutation du genre qui le différencie du style humoristique de Claude Meunier ou de celui de Pierre Légaré, par exemple. La principale différence se trouve au centre même du gag : la nature du sujet est devenue aussi absurde que le traitement. C'est pourquoi je vais m'intéresser davantage à cette nouvelle génération de l'absurde dont le corpus s'échelonne entre 1996 et 2012 pour ainsi tenter de poursuivre, en quelque sorte, le travail entrepris par Robert Aird, auteur du livre *L'Histoire de l'humour au Québec: de 1945 à nos jours*. Bien qu'il soit très intéressant et pertinent, ce livre s'achève là où l'absurde moderne débute, c'est-à-dire avec l'humour particulier de Bruno Blanchet à l'émission *La fin du monde est à 7 heures* en 1997. C'est l'humoriste que je considère comme étant le père de l'humour absurde moderne au Québec. Toutefois, s'il en est le père, qui en serait l'arrière-grand-père?

D'où vient l'humour absurde moderne québécois?

Certes, en rédigeant un essai qui couvre une période temporelle et une zone géographique précises, je suis bien conscient que les fondements des mécanismes de l'humour absurde moderne québécois ne sont pas apparus subitement avec l'arrivée de Bruno Blanchet, ni même avec son précurseur Claude Meunier. Il faut pratiquement remonter jusqu'à la Grèce antique pour en connaître les premiers balbutiements avec Ibicrate le géomètre et Sophrotatos l'Arménien à qui l'on attribue la paternité du raisonnement par l'absurde[1]. Toutefois, sans remonter si loin dans l'histoire de l'humanité, c'est plutôt vers la fin du XIXe siècle et au milieu du XXe siècle que prennent véritablement forme les racines idéologiques de l'humour absurde tel que nous le connaissons aujourd'hui. Avant de le définir, je crois donc qu'il est nécessaire de retracer brièvement les mouvements, les philosophies et autres courants de pensée internationaux dans lesquels s'inscrit le nouveau genre absurde que le Québec connaît depuis 1996. Sans être des styles humoristiques en soi, des mouvements artistiques tels que la pataphysique, le dadaïsme, le surréalisme et le théâtre de l'absurde ont fait de l'humour absurde moderne québécois une figure privilégiée.

---

1.   Raisonnement permettant de démontrer la vérité d'une chose en prouvant que son contraire est absurde.

La pataphysique

Découverte par Alfred Jarry vers la fin du XIXe siècle, la pataphysique est la «science de ce qui se surajoute à la métaphysique, soit en elle-même, soit hors d'elle-même, s'étendant aussi loin au-delà de celle-ci, que celle-ci au-delà de la physique[2]». Pourrait-on être plus clair svp ?! Concrètement, la pataphysique est la science qui cherche à théoriser la déconstruction du réel et sa reconstruction dans l'absurde. Elle étudie le particulier, les lois qui régissent les exceptions et incite donc à concevoir des solutions imaginaires en mettant sur le même plan le réel et l'imaginaire. Un des principes fondamentaux de la pataphysique, selon Boris Vian, est l'équivalence. «C'est peut-être ce qui explique ce refus que nous manifestons de ce qui est sérieux, de ce qui ne l'est pas, puisque pour nous c'est exactement la même chose, c'est pataphysique[3].» Appliquées au langage, cette désintégration et cette reconstruction à partir de l'insolite ne pouvaient que séduire les surréalistes.

Dadaïsme et surréalisme

En réaction à l'absurdité et à la tragédie de la Première Guerre mondiale, le dadaïsme est un mouvement intellectuel, littéraire et artistique qui, entre 1916 et 1925, se caractérise par une remise en cause des conventions et des contraintes idéologiques. Il met à l'avant-plan l'esprit d'enfance, l'extravagance, le rejet de la raison et de la logique, la dérision, l'humour ainsi que le jeu avec les convenances et les conventions.

Dada n'était pas seulement l'absurde, pas seulement une blague, dada était l'expression d'une très forte douleur des adolescents, née pendant la guerre de 1914. Ce que nous voulions, c'était faire table

---

2. Wikipédia, *L'encyclopédie libre : élément de pataphysique*, en ligne, http://faustroll.efields.net/livre_deuxieme.php.
3. Wikipédia, *L'encyclopédie libre*, en ligne, citation de Boris Vian, http://fr.wikipedia.org/wiki/Pataphysique, 2011.

rase des valeurs en cours, mais, au profit justement des valeurs humaines les plus hautes[4].

Autant littéraire qu'artistique, le surréalisme provient du dadaïsme et poursuit sur cette lancée subversive. Le mouvement naît officiellement en 1924 avec la rédaction d'un manifeste et il se caractérise par son opposition à toutes conventions sociales, logiques et morales. C'est un mouvement qui prime le rêve, l'instinct, le désir et la révolte en faisant appel à des techniques de création comme l'écriture automatique, le «cadavre exquis», l'écriture collective, l'interrogation du «hasard objectif» et la prise de drogues hallucinogènes. Bref, pour le fondateur du mouvement, André Breton, le surréalisme «repose sur la croyance à la réalité supérieure de certaines formes d'associations négligées jusqu'à lui, à la toute-puissance du rêve, au jeu désintéressé de la pensée[5]». C'est d'ailleurs à André Breton que l'on doit l'origine de l'expression «humour noir» à laquelle je ferai référence à plusieurs reprises dans cet essai. Ressort essentiel du surréalisme, il s'agit d'«une forme d'humour qui souligne avec cruauté, amertume et parfois désespoir l'absurdité du monde, face à laquelle il constitue une forme de défense[6]».

Le théâtre de l'absurde

Inspirés par la pataphysique d'Alfred Jarry, le courant dadaïste et certains précurseurs comme Antonin Artaud, les principaux dramaturges du mouvement sont Eugène Ionesco, Samuel Beckett, Jean Genet et Arthur Adamov. C'est l'absurdité des situations créées et la déstructuration du langage lui-même qui font de ce style théâtral un mouvement dramatique unique en son genre. Lorsqu'on s'y attarde, ces pièces sont moins farfelues qu'elles ne paraissent car elles possèdent leur propre logique dotée d'une réalité plus psychologique que physique. Ce type de théâtre

---

4. Wikipédia, *L'encyclopédie ouverte*, en ligne, citation de Tristan Tzara, http://fr.wikipedia.org/wiki/Dadaïsme#Le_mouvement_dada_et_l.27humour.
5. Angelfire, *Max Ernst et le surréalisme*, en ligne, http://www.angelfire.com/ar/ernst/, 1999.
6. Wikipédia, *L'encyclopédie ouverte*, en ligne, http://fr.wikipedia.org/wiki/Humour_noir, 2011.

cherche à exprimer le non-sens de l'existence et à montrer que l'humain se perd dans la déraison d'un monde qui, au sens existentialiste du mot, est «absurde». Toutefois, à partir de *La Cantatrice chauve*, première pièce d'Ionesco en 1950, va naître un absurde proprement théâtral, plus proche du raisonnement par l'absurde que de la notion existentialiste.

Les grandes lignes de la «généalogie» de l'absurde étant tracées, je vais à présent m'attarder de nouveau à la période et à la zone géographique qui m'intéressent davantage, pour définir et vulgariser ce que j'entends par «humour absurde moderne québécois». Est-ce que la raison d'être et les objectifs de ce style humoristique diffèrent de ceux de la pataphysique, du surréalisme, du théâtre de l'absurde et du dadaïsme? La définition sera suivie d'un premier survol des mécanismes généraux de cette forme d'humour au moyen d'exemples.

Définition personnelle de l'humour absurde moderne québécois

L'humour absurde moderne québécois est un type d'humour qui se plaît à faire des associations entre des mots, des objets, des personnages, des lieux et des concepts qui n'ont, *a priori*, strictement aucun «rapport», voire aucun lien entre eux et qui semblent ne renvoyer à rien d'autre qu'à eux-mêmes, et ce dans le but de faire rire: la consécration de «l'anti-punch». Ces corrélations irrationnelles créent ainsi des contextes dénudés de sens, donc absurdes, qui viennent déstabiliser quelque peu le spectateur, l'amenant dans un monde fantastique où tout devient possible. Un peu à l'image de la théorie de l'humour proposée par le philosophe Emmanuel Kant (1724-1804), «l'humour naît quand l'esprit perçoit un fait anormal, inattendu ou bizarre, en un mot incongru et qui rompt avec l'ordre normal des choses[7]». Ainsi, dans cette nouvelle réalité générée par l'absurde moderne, l'illogisme, la distanciation émotive, l'incohérence et le paradoxe sont

---

7.   Normand Baillargeon et Christian Boissinot (dir.), *Je pense donc je ris*, Québec, PUL, 2010, p. 4.

rois. C'est ce qui différencie l'absurde moderne de l'absurde des années 1960 à 1990 où la nature des sujets n'était pas nécessairement absurde. C'était plutôt le traitement qui l'était. Si l'humoriste plus traditionnel cherche constamment à «séduire» son public, avec le genre absurde moderne, c'est davantage le spectateur qui doit s'adapter à l'humoriste en décodant son monde imaginaire :

FIGURE 1.1

Comparaison entre la dynamique qu'a le public avec l'humoriste standard et celle qu'il entretient avec l'humoriste absurde moderne

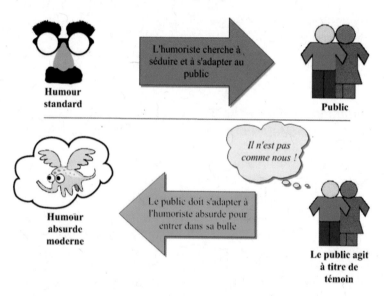

J'ai l'impression que l'humour absurde de certains comiques de la génération actuelle est moins accessible. Il est en tout cas plus spontané, ce qui peut lui donner l'apparence d'être n'importe quoi. L'absurde moderne, avec son nouvel éclat, explore des territoires moins connus, nageant en plein imaginaire, avec un langage désarticulé parfois même poétique, dans ce monde[8].

---

8.   David Savoie, «L'envol de l'absurde» (citation de Robert Aird), *Le Droit*, 20 septembre 2004, p. 25.

Plus concrètement, voici un exemple de l'humoriste Bruno Blanchet qui justifie bien la définition et la citation précédentes : « Si votre voiture fait un drôle de bruit, c'est peut-être parce qu'il y a un clown dans le moteur[9]. » Nous rions simplement parce qu'il n'y a pas de prétexte à rire et que c'est contraire à la raison. Néanmoins, de manière générale, ce type d'humour repose essentiellement sur l'effet de surprise et le contexte dans lequel la situation absurde prend forme. Voici un exemple personnel cette fois :

– Mathieu, est-ce que tu veux jouer au tennis avec moi ?
– Non je ne veux pas car ma mère est un frigidaire…
– Ok

Ce qui est drôle, c'est le décalage entre la question et la réponse. L'absurde apparaît, car le relatif est traité comme un absolu. Il s'agit donc ici d'humour, par l'absence de commentaire et parce que la réponse ne se situe pas sur le même plan que la question, ce qui se rapproche étrangement des dialogues de sourds. Même si l'humour absurde donne parfois l'illusion du « n'importe quoi », que c'est gratuit pour être gratuit, ce type d'humour doit savoir conserver une certaine structure pour être intelligible. C'est en effet ce que nous apprend Albert Laffay dans son livre *Anatomie de l'humour et du nonsense* : « Dans un monde où tout serait surprise, quelque chose pourrait être surprenant ? Point d'inattendu sans une certaine attente[10]. » Dans l'exemple précédent, le lecteur envisage une réponse plus rationnelle à la question et l'élément « ma mère est un frigidaire » devient complètement illogique dans le contexte, crée un effet de surprise et peut mener au rire. Néanmoins, cette phrase demeure « intelligible » dans sa structure et rend « crédible » cette conversation. « L'absurde n'est pas l'illogisme, ni même l'alogisme, à l'état pur : il faut bien qu'un reste de santé mentale subsiste pour faire paraître la folie et que le chaos ressorte sur un fond quelque peu ordonné[11]. »

---

9. René Côté, *L'île de rien*, 2002, en ligne, site consacré à Bruno Blanchet, www.ilederien.com/bruno/lfdm/lfclown.htm.
10. Albert Laffay, *Anatomie de l'humour et du nonsense*, Paris, Masson, 1970, p. 111.
11. *Ibid.*, p. 116.

L'absurde *vs* le non-sens

L'humour absurde moderne a tendance à devenir une niche qui abrite plusieurs styles humoristiques à la fois différents et similaires. Dans cet ordre d'idées, pour ne pas confondre non-sens et absurde, il faut souligner que le non-sens est avant tout un univers de mots qui s'amuse à jouer avec le système verbal :

> Le nonsense lâche la bride au langage, permet à la mécanique des mots de fonctionner un instant toute seule, et se donne l'air de trouver parfaitement naturel ce qui est, selon le cas, franche absurdité, lapalissade gravement formulée, paradoxe cocasse ou raisonnement grotesque[12].

Bref, il est possible de retrouver de l'absurde dans le non-sens, mais pas nécessairement du non-sens dans l'absurde. Sans forcément mener au rire, le non-sens se plaît à redonner la virginité aux mots. En effet, il n'est pas rare que, dans certains moments de fatigue, il arrive de se retrouver encombré dans la forme d'un mot, et que, bien qu'il soit compréhensible, nous ne le « reconnaissons plus ». Par exemple, en répétant sans cesse un même mot à haute voix, au bout d'un certain temps, il se peut que celui-ci perde de son « sens » en retrouvant simplement sa virginité phonétique. Ainsi, la forme devient bizarre et l'arbitraire du signe éclate. Ce peut être le terme le plus courant : table, veste, nécrophilie, calvitie. Soudain déshabitué, il devient étonnant pour le locuteur que des syllabes quelconques puissent représenter ceci ou cela. C'est à peu près le genre d'effet que poursuit le non-sens. Il agite les mots dans tous les sens, de manière à souligner l'extravagance profonde des plus ordinaires. C'est pourquoi l'enchaînement des raisons peut aussi bien être correct et banal que paradoxal et saugrenu. En fait, la question n'est pas là, l'absurde ne se trouve pas dans les résultats, mais il est dans le fonctionnement autonome du langage. De plus, le non-sens devient « humour » lorsqu'il est dirigé vers l'utilisation déréglée du langage. Il propose au spectateur de se placer au-delà du raisonnement mal dirigé, pour ne pas dire au-delà du raison-

---

12. *Ibid.*, p. 141.

nement tout court. Les Denis Drolet, duo d'humoristes absurdes québécois, en témoignent :

> Il faut que ça ait l'air de n'importe quoi ; tout notre univers est bâti là-dessus. C'est une écriture automatique, mais travaillée. Il faut que nos images soient bonnes et drôles. On peut dire que c'est un genre de poésie. On sait que la ligne est mince entre absurde et non-sens et on fait très attention à ça[13].

Pour conclure ce segment sur le non-sens, voici un exercice personnel d'écriture automatique qui exemplifie cette notion. J'ai recréé une scène qui n'a ni queue ni tête, mais qui donne l'impression que la conversation est intelligible :

> — *Salut Gaétan ça va ?*
>
> — *Oui j'ai chaud.*
>
> — *Fais attention Rodrigue, tu as un attentat dans le genou !*
>
> — *Atchoum que j'ai faim.*
>
> — *Tu aurais le goût de jouer aux citrons ça veut dire ?*
>
> — *Oui car j'ai envie d'en savoir plus sur moi* (silence)
>
> — *Tu as déjà peinturé un enfant couleur horloge ?*
>
> — *La dernière fois que ça m'est arrivé j'avais 53 ans, mais depuis que mon grand-père est né, je n'arrête pas de dormir sur des chandelles...*
>
> — *Est-ce que tu crois vraiment que c'est une bonne raison ?*
>
> — *Hum, bonne affirmation, je crois aussi que j'ai faim...*
>
> — *Prendrais-tu un café ?*
>
> — *Non merci, je n'aime pas les camions.*
>
> — *Ok, est-ce que je t'ai dis que ma mère vient de s'acheter un mercredi ?*
>
> — *Un mercredi ? Non quand est-ce que ce n'est pas arrivé ?*
>
> — *Là bas sur la colline.*
>
> — *Avec Joe Dassin ?*
>
> — *Oui le même qui a mangé deux Papouasie nouvelle Quiche en 3 minutes.*
>
> — *C'est fou ce qu'on peut faire quand on est pharmacien !*
>
> — *Jean-Charles, es-tu heureux ?*
>
> — *Oui parce que ce que je dis a du sens...*

---

13. Nicolas Houle, « Les Denis Drolet, le grand rire brun » (citation Vincent Léonard), *Le Soleil*, 6 juin 2003, p. B3.

— Ben voyons, c'est pas parce que ton père achète des adverbes que ce que tu dis est logique !

— Ha les adverbes, c'est toujours trop cher et ça pue en plus ! Mais l'auto-route a un sens, non ?

— Oui seulement quand c'est absurde.

— Je ne comprends pas, tu veux dire qu'il y a plus d'oiseaux dans une maison quand c'est absurde ?

— Bref, c'est ta moustache qui n'a pas de sens !

L'absurde classique *vs* l'humour noir

Question de clarifier encore les choses, je considère que l'humour absurde moderne est différent de l'absurde classique et de l'humour noir. Lorsque je fais référence à la forme plus classique, je parle de l'humour que l'on retrouve dans le théâtre absurde d'Eugène Ionesco ou celui de Claude Meunier dans le téléroman *La Petite Vie*. Comme je l'ai dit précédemment, la principale diffé-rence entre l'humour absurde moderne et l'humour classique, c'est que la nature des sujets semble à présent aussi absurde que le traitement. Ainsi, s'il arrive parfois que la distinction entre le style moderne et le style plus classique soit difficile à faire, bien qu'elle soit subtile, il arrive aussi à l'occasion que l'on confonde l'absurde classique (donc indirectement l'humour absurde moderne) avec l'humour noir. Ce n'est pas tant par le style humoristique, mais plutôt par la cible, qui est ridiculisée. Les sujets sont souvent les mêmes, mais le traitement varie. En effet, il n'est pas rare de voir Ionesco ou Claude Meunier se moquer, tout comme l'humour noir peut le faire, de la mort, de la maladie, des tragédies de la vie, sans que le but poursuivi soit exactement le même. L'absurde classique réinvente une logique qui lui est propre. De son côté, l'humour noir est un ressort essentiel du surréalisme qui ne se contente pas seulement d'instaurer un réel de substitution, il prend l'allure d'une révolte radicale qui entend tirer profit des insuffisances du monde réel. C'est une révolution au service d'une cause qui la dépasse : la libération totale de l'homme. Par exemple, si un homme se moque du cancer dont il est atteint, c'est pour lui une façon de «s'en libérer». Or, si l'humour absurde moderne n'est pas de l'humour noir au sens propre du terme et qu'il semble être différent de l'absurde classique, que cherche donc à exprimer cette forme d'humour moderne ?

Je vous agace quelque peu, mais, avant de pouvoir répondre à cette question et d'entrer dans le vif du sujet, il reste encore une variable importante à délimiter et elle est indissociable de la problématique : le contexte psychosocial dans lequel est plongé l'humour absurde moderne québécois.

Le contexte psychosocial de l'humour absurde moderne québécois

En établissant le contexte psychosocial actuel dans lequel l'humour absurde moderne prend forme, il devient plus facile d'en cerner l'influence sur sa propre philosophie et de saisir ce qu'il cherche à exprimer. La figure 1.2 illustre bien ce contexte.

FIGURE 1.2

Contexte psychosocial de l'humour absurde moderne québécois

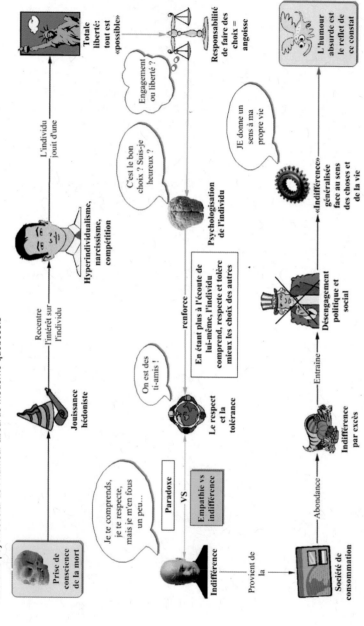

Explications de la figure 1.2

À mon sens, le point de départ du contexte actuel comme tel est la conscience «malheureuse», chez l'individu, de sa propre mort. Il s'agit peut-être d'une pure fabulation, mais cette prise de conscience de la mort semble se faire de plus en plus tôt. Les gens traversent la «crise existentielle de la quarantaine» de manière plus précoce. Cette perception de la fatalité de la vie nourrit une philosophie populaire qui affirme que nous devons vivre le moment présent et savourer chacun des instants de la vie au maximum, sans avoir de regrets. C'est la quête d'une jouissance hédoniste appuyée par le dicton : «On n'a qu'une seule vie à vivre alors il faut en profiter.» Profiter certes, mais comment ? «Cette angoisse de mort sous-tend l'idée qu'il faut vivre intensément, vite, sans perdre une minute de ce précieux temps de vacances, comme pour repousser loin de la conscience la dimension temporelle, éphémère de la vie[14].»

Cette recherche du plaisir amène l'individu à se recentrer sur lui-même et à se questionner sur ce qu'il juge plaisant pour lui. C'est la victoire de l'égocentrisme narcissique et de l'hyper-individualité. La société d'aujourd'hui permet à l'individu de jouir d'une grande liberté de choix et le plonge dans un contexte où tout devient «possible», ou presque : un pauvre peut devenir politicien, je peux aller vivre en Afrique, je peux me marier cinq fois dans ma vie, jouer au golf l'hiver, fonder ma compagnie ou mon groupe de musique, etc. Toutefois, qui dit liberté dit forcément faire des choix et renoncer à d'autres. Le «confort» d'un avenir préétabli de l'époque de nos parents et grands-parents est révolu : l'individu a le devoir de profiter de sa liberté, ce qui n'est pas sans causer une certaine angoisse liée à la temporalité de la vie. «Ai-je fait le bon choix ? Est-ce que ça en valait vraiment la peine ?» Ainsi, l'individu se retrouvant sans réels repères se questionne par rapport à ses choix personnels et se compare aux autres, ce qui contribue à renforcer la montée des valeurs psychologiques dans la société dont nous fait part Lipovetsky dans son essai *L'Ère du vide* :

---

14. Hermann Hesse, *L'Art de l'oisiveté*, Calmann-Lévy, 2002, p. 30.

Elle traduit la montée de ces valeurs psy que sont la spontanéité et la communication, elle traduit un changement anthropologique, la venue au jour d'une personnalité tolérante, sans grande ambition, sans haute idée d'elle-même, sans croyance ferme[15].

L'individu se psychologise, c'est-à-dire qu'il cherche à se livrer, à exprimer ses émotions, à révéler ses propres motivations, à se questionner sur son sentiment intime : « Suis-je vraiment heureux ? » Or, dans une société de compétition répondant aux lois du marché et dont les structures du système peuvent nous paraître hostiles et « inhumaines », il est « normal » que l'humain redevienne le centre d'intérêt et que l'on assiste à un retour des valeurs traditionnelles de base et de simplicité. Qu'est-ce qui est plus important : un emploi stressant et payant que l'on déteste ou un emploi qui procure moins d'argent mais qui favorise une qualité de vie plus saine ?

Ici encore, tout est une question de choix de vie. Dans une société basée sur le respect et la tolérance envers les autres, il devient donc difficile de juger les gens. Si l'on prend l'exemple d'un homme qui, pour oublier sa peine d'amour, se fait plaisir en allant à la pêche toutes les fins de semaine et d'un autre qui, pour oublier une peine similaire, préfère sodomiser des ballons d'anniversaire en regardant *La Poule aux œufs d'or*, cela illustre bien, dans un premier temps, le principe fondamental de l'équivalence en pataphysique. Il y a un autre paradoxe qui se crée entre empathie et indifférence : « Je comprends les moments difficiles que tu traverses, je me "fous" de ce que tu fais pour oublier ta peine, mais je te respecte quand même. » Centré sur lui-même, l'individu se psychologise d'un côté et de l'autre, il développe une certaine indifférence à tout ce qui ne tourne pas autour de lui ou près de lui. Cette indifférence prend racine, selon Lipovetsky, à même la société de consommation qui cherche à personnaliser l'individu dans ses besoins en lui présentant une surabondance de choix et en « l'hyper-sollicitant », ce qui conduit à une indifférence par excès. Or ce qui arrive, c'est que cette notion d'indifférence se transpose

---

15. Gilles Lipovetsky, *L'Ère du vide : essais sur l'individualisme contemporain*, Paris, Gallimard, 1983, p. 229. Depuis 1983, Lipovetsky a revisité sa définition de la post-modernité, mais l'essentiel de sa thèse sur la société humoristique demeure toujours valable.

dans d'autres secteurs de la vie publique. C'est pourquoi on note un certain désengagement à l'égard de la politique, du social, de l'amour et de la famille. Poussée à l'extrême, cette notion d'indifférence généralisée va jusqu'à contaminer le sens avec un grand S comme tel. L'indifférence au sens des choses se résume par l'apothéose du système du «pourquoi pas?» Pourquoi certaines personnes aiment-elles dormir avec leur guitare ou chanter dans une citrouille? En fait, les gens se disent plutôt: «Pourquoi pas?» Avec l'absence de sens, tout devient «possible», ce qui rejoint le cœur même de l'humour absurde. Aujourd'hui, les gens «acceptent» que la vie n'ait pas de sens et que ce soit l'individu lui-même qui s'en donne un. «Dieu est mort», disait Nietzsche. Le bonheur revient à vivre sa vie tout en étant conscient de son absurdité.

Ainsi, l'humour absurde moderne imprégné de cette réalité psychosociale (faire des choix, tolérance, liberté, hédoniste, indifférence au sens, dépolitisation, psychologisation) est en quelque sorte le reflet de ce constat. Il recrée donc un monde parallèle avec sa propre logique pour alléger cette conscience malheureuse de la mort, en cherchant à se faire plaisir par le rire. D'ailleurs, ne dit-on pas souvent en matière d'humour absurde: «C'est quoi le but? Le rapport?»

Quel est donc le sens de l'humour absurde moderne québécois?

L'expression «humour absurde moderne», telle que je l'entends, étant définie et la distinction avec le non-sens établie, on peut à présent se pencher sur la problématique en question. Parce que c'est une forme d'humour que j'apprécie, qui me rejoint particulièrement et que j'aime pratiquer, j'ai d'abord commencé par me poser plusieurs questions sur le sujet. Pourquoi est-ce si populaire? Quels sont les mécanismes de cette forme d'humour? Sur le plan psychosocial, en quoi l'humour absurde moderne répond-il à des besoins culturels latents de la société? Est-ce qu'il y a une tendance généralisée à vouloir se créer des mondes imaginaires hermétiques où les liens avec la réalité quotidienne sont quasi inexistants? Est-ce que la recherche délibérée du non-sens véhicule un certain message de protestation? Est-ce une fuite ou un combat? Toutes ces questions se résument à une seule: que cherche à exprimer l'humour absurde moderne québécois?

Quelques pistes de réflexion

À première vue, l'humour absurde moderne peut sembler être un humour désengagé qui prône le «je-m'en-foutisme», mais je présume qu'il cache une certaine contestation sociale encore plus importante que celle de l'humour corrosif direct, et ce à un 2ᵉ ou 3ᵉ degré. J'aurais tendance à vouloir définir cette pratique comme étant de la provocation non affirmée. J'estime aussi que l'humour absurde actuel est un moyen de contester, voire de critiquer certaines valeurs et des modes de pensée en faisant appel à une ironie plus passive, indirecte et parfois inconsciente. De plus, sans être nécessairement métaphysique, cette forme d'humour ramène l'être humain et ses besoins psychoaffectifs au centre des priorités. Pour clarifier le tout, j'ai décidé de regrouper l'ensemble en trois grandes pistes de réflexion, pour ne pas dire hypothèses.

1ʳᵉ piste de réflexion: Mourir c'est absurde!

L'humour absurde chercherait à exprimer le désir de ramener l'être humain à l'avant-plan, avec ses angoisses profondes, en traitant des grandes questions existentielles, métaphysiques, tragiques et universelles. Si l'humour est le reflet de quelque chose, l'humour absurde refléterait le «chaos social» dans lequel nous sommes plongés et où tout peut arriver.

Finalement, un dernier malentendu concerne l'artiste absurde, celui qui semble toujours se réfugier dans le non-sens pour éviter de se prononcer sur les maux de ses contemporains. «C'est plutôt la société qui refuse de voir que la vie est absurde», rétorque Meunier. L'humour absurde s'attaque aux choses tragiques de la vie: la mort, la maladie, l'échec amoureux. [...] L'absurde, c'est une conscience primitive de la cassure de la vie[16].

Claude Meunier rejoint ainsi quelque peu les propos de l'un des précurseurs incontournables de l'humour absurde moderne auquel j'ai fait référence précédemment : Eugène Ionesco. Cet homme, dont l'humour caustique peut receler une grande profondeur et qui peut exprimer derrière la satire sociale une interrogation métaphysique des plus riches, a toujours cherché à recréer sur scène l'absurdité et le non-sens même de la vie. En parlant de *La cantatrice chauve* (1949), il dit : « Rien n'arrive, personne n'a rien à dire, c'est tout à fait comme dans la vie[17]. »

Pour certains, il devient difficile de séparer l'absurde de la notion de la mort. L'absurde naît de cette angoisse existentielle et métaphysique que certaines personnes peuvent ressentir face à la fatalité de la vie. En relativisant les réalités de façon absolue, prendre conscience de notre condition mortelle peut donner l'illusion que toutes nos actions deviennent quasi « inutiles ». Pas étonnant de voir que ce courant de pensée s'est développé dans un contexte de guerre où la « banalisation » de la mort a fait jaillir l'absurdité de la vie. « L'enfer s'empare du monde et partout règne l'absurdité la plus démente[18] », affirme Eugène Ionesco.

2ᵉ piste de réflexion : une réponse au besoin de liberté de l'individu

L'humour absurde viendrait combler un besoin de nouveauté et d'étonnement constant afin de repousser les limites de la « non-pertinence » et de l'illusion du « n'importe quoi ». Il chercherait aussi à défier la logique et le bon sens, à faire rire par plaisir sans message précis ni de deuxième degré. C'est un humour spontané, qui n'agresse pas et qui ne se leste ni d'intention ni de justification.

---

16. Luc Boulanger, « La vie après l'amour » (citation de Claude Meunier), *Voir*, vol. 17, n° 13, 3 avril 2003, p. 16.
17. Gilles Plazy, *Eugène Ionesco*, Paris, Julliard, 1994, p. 75.
18. *Ibid.*, p. 48.

À force de personnalisation, chacun devient une bête curieuse pour l'autre, vaguement bizarre et cependant dépourvu de mystère inquiétant: l'autre comme théâtre absurde. La coexistence humoristique, voilà ce à quoi nous contraint un univers personnalisé; autrui ne parvient plus à choquer, l'originalité a perdu sa puissance provocatrice, ne reste que l'étrangeté dérisoire d'un monde où tout est permis, où tout se voit et qui n'appelle plus qu'un sourire passager. L'autre est entré dans la phase du « n'importe quoi »[19].

« Aujourd'hui l'humour absurde, c'est-à-dire dénué de sens, aurait-il sombré dans la vacuité, c'est-à-dire qu'il serait "dénudé de contenu"? Peut-être, mais pourquoi rit-on? [...] Inutile de chercher un second degré[20]... » Pour certains humoristes de l'absurde, la recherche du plaisir réside en partie dans la mécanique humoristique: le plaisir de faire des liens inédits, des liens inopinés et insignifiants: « Je ne provoque jamais de haine, je n'attaque personne sinon la logique et le bon sens[21] », révèle l'humoriste Bruno Blanchet. Avec son genre télévisuel comparable à celui des Chick'n Swell, le contexte devient drôle parce que c'est « mauvais ». Les plans fixes et volontairement trop longs créent un certain malaise chez le spectateur qui se dit: « Ce n'est pas normal, il va y avoir un punch. » Ainsi, cette temporalité exagérée permet de mettre l'accent sur l'absurdité de la situation. Or, ce qui arrive parfois avec l'humour absurde, c'est que la finale attendue ne vient jamais et l'humour réside dans le fait qu'il n'y a justement pas de phrase-choc: c'est une autre façon de surprendre.

3e piste de réflexion: l'humour absurde, un mécanisme de « défense » social?

Sur le plan sociopolitique, l'humour absurde serait une sorte de mécanisme de « défense » social, un état de morosité à la suite d'une « agression » ou d'une désillusion quelconque, un peu

---

19. Gilles Lipovetsky, *L'Ère du vide: essais sur l'individualisme contemporain*, Paris, Gallimard, 1983, p. 237.
20. David Savoie, « L'envol de l'absurde » (citation de Robert Aird), *Le Droit*, 20 septembre 2004, p. 25.
21. Jean Beaunoyer, « Bruno Blanchet, le pataphysicien de la télé » (citation de Bruno Blanchet), *La Presse*, 24 novembre 1997, p. B9.

comme l'a fait le théâtre de l'absurde d'Ionesco sur certains jeunes de l'époque : « Ils étaient à la recherche d'un théâtre nouveau dans lequel ils pourraient exprimer ce qui est en eux […] l'esprit d'une génération marquée par la guerre, quelque peu désillusionnée, au seuil d'une époque nouvelle, encore à inventer[22]. »

Après cette citation, il devient intéressant de se demander si l'humour absurde actuel québécois n'a pas pris forme dans un contexte quelque peu semblable. C'est en effet ce qu'affirme Robert Aird, l'auteur de *L'histoire de l'humour au Québec* : « L'humour absurde est né de la défaite référendaire. Désillusionnés, les gens ne voulaient plus entendre parler de politique. Ils lâchaient leur fou[23]. »

Ainsi, l'humour absurde moderne serait une manière de « contester » ou de riposter en délaissant la scène politique et en se recréant une réalité personnelle, hermétique et plus « agréable ».

Les gens qui aiment cette forme d'humour apprécient sûrement qu'on les détache complètement des méandres de leur quotidien et de l'actualité des dialogues. Des situations totalement dénuées de sens, qui ne s'accrochent absolument à rien, ont quelque chose de déroutant qui peut donner matière à rire[24].

Nous sommes probablement parmi les peuples qui produisent le plus d'humoristes au monde et ça s'explique. Un peuple qui a raté sa révolution compense par l'humour. Ce n'est pas par hasard que Ding et Dong ont connu un immense succès, tout juste après le référendum de 80. Un peuple fier de lui ne mise pas sur l'humour et surtout pas sur l'humour absurde. L'humour, c'est la réalité. Aux États-Unis, c'est l'humour du quotidien, le cocooning. Après la guerre du Vietnam, c'était l'humour politique[25].

---

22. Gilles Plazy, *Eugène Ionesco*, Paris, Julliard, 1994, p. 68.

23. Micheline Lachance, « La loi du désir » (citation de Robert Aird), *L'Actualité*, 15 avril 2004, p. 82.

24. David Savoie, « L'envol de l'absurde » (citation de Robert Aird), *Le Droit*, 20 septembre 2004, p. 25.

25. Jean Beaunoyer, « De Marielle Léveillée à Anita il y a un monde… de tupperware » (citation de Marielle Léveillée), *La Presse*, 26 septembre 1998, p. D1.

Marielle Léveillée, comédienne et humoriste qui a déposé son mémoire sur le monologue d'humour en 1996, affirme de son côté que «la nouvelle vague d'absurde est une réponse à un humour à message très présent au cours des années 1990, moment où le ton était plus sérieux[26]». Une manière de créer un équilibre.

Outre les défaites référendaires et les nouvelles valeurs, l'énoncé de Lipovetsky traduit très bien le climat postmoderne dans lequel baigne l'humoriste absurde actuel: «Il y a d'autant plus de représentations joyeuses que le réel est plus monotone et pauvre: L'hypertrophie ludique compense et dissimule la détresse réelle quotidienne[27].» Or, de nos jours, c'est exactement ce qui se produit. L'humour québécois est devenu à un point tel ludique et aseptisé par le souci de rectitude politique qu'il est pratiquement inoffensif et très peu d'humoristes sont cinglants ou accusateurs. «Le succès des Zapartistes démontre que les gens réclament de l'humour politique, contrairement à ce que prétend le monde du spectacle[28].» Toutefois, cette extrême plaisanterie volontaire qui n'agresse pas, et que je nomme humour absurde moderne, ne véhiculerait-elle pas d'autres messages encore plus révélateurs? Ionesco vient en quelque sorte à la rescousse de cette forme d'humour en affirmant que «l'œuvre d'art n'est pas séparable de la politique parce que toute parole d'artiste est l'expression d'une attitude sociale[29]». «Ne pas prendre position, c'est prendre position[30]», confirme Daniel Grenier, membre des Chick'n Swell.

En bref, l'ère du vide?

Sommes-nous donc rendus à «l'ère du vide» tel que l'a dépeint Gilles Lipovetsky dans son essai sur l'individualisme contempo-

---

26. David Savoie, «L'envol de l'absurde» (citation de Marielle Léveillée), *Le Droit*, 20 septembre 2004, p. 25.

27. Gilles Lipovetsky, *L'Ère du vide: essais sur l'individualisme contemporain*, Paris, Gallimard, 1983, p. 225.

28. Micheline Lachance, «La loi du désir» (citation de Robert Aird), *L'Actualité*, 15 avril 2004, p. 82.

29. Gilles Plazy, *Eugène Ionesco*, Paris, Julliard, 1994, p. 147.

30. Daniel Grenier, témoignage sur l'humour absurde, rencontre à Montréal, 20 juillet 2005.

rain du même nom ? Bien que cet essai ne s'appuie pas toujours sur des théories fondées et que le concept même de postmodernité a été quelque peu revisité depuis par l'auteur en question, rien n'empêche que ce dernier nous dresse un portrait de la société humoristique avec une lucidité parfois déconcertante. Les constats de Lipovetsky sont à la base de ce qui peut se dégager de l'humour absurde moderne, lequel n'est pas à l'abri de « l'ère du vide » et du postmodernisme. Dépolitisation, indifférence au sens, psychologisation des relations humaines, cordialité, spontanéité, autodérision, narcissisme, banalisation généralisée, désubstantialisation, détachement émotionnel sont quelques-uns des concepts de Lipovetsky, qui se rapproche de près ou de loin de ce qui émane de l'humour absurde moderne et de ce qu'il cherche à exprimer. J'y reviendrai plus en détails.

À présent que j'ai défini ce que j'entends par l'humour absurde moderne québécois, établi dans quel contexte psychosocial il baigne et dressé quelques pistes de réflexion qui vont orienter cet ouvrage, le prochain chapitre sera consacré à la classification des types d'humour afin de situer l'humour absurde moderne par rapport aux autres styles.

Chapitre II

La classification des types d'humour

Introduction

I l est pratiquement impossible de dresser un portrait analytique logique de l'humour absurde moderne au Québec sans avoir fait au préalable une certaine catégorisation des types d'humour. C'est ce qui constitue en quelque sorte l'épine dorsale, le fil conducteur de cet essai. Quelle est la différence entre l'humour absurde des Denis Drolet et celui des Chick'n Swell ou de Jean-Thomas Jobin? En classifiant les genres d'humour de la sorte, cela permet de reconnaître et d'apprécier plus facilement les frontières de l'absurde moderne ainsi que sa diversité.

Classification des types d'humour : l'apport de Jean-Pierre Desaulniers

Le défunt Jean-Pierre Desaulniers, qui fut anthropologue et professeur à l'Université du Québec à Montréal (UQAM) au département des communications, s'était déjà penché sur la catégorisation des types d'humour lorsqu'il avait été pressenti par le musée Juste pour rire de Montréal afin de dresser un fil conducteur pour une des expositions. Aujourd'hui fermé, ce musée avait la vocation de faire connaître l'humour comme phénomène culturel. Selon Desaulniers, il existerait douze univers propres à l'humour. Voici comment il définit brièvement ces 12 catégories :

1. L'histoire drôle : Sam, Pic, Mais grattez-vous…
2. La blague : le calembour
3. La farce : surprise sur prise
4. Le ridicule : les Dupont et Dupond
5. Le grotesque : le carnaval
6. La parodie : l'imitation caricaturale
7. L'ironie : la moquerie fine
8. La satire : la déformation accusatrice
9. Le cynisme : la dénonciation méchante
10. Le scatologique : le pipi-caca-poil
11. L'humour noir : les jokes « pas drôles »
12. L'absurde : une nouvelle logique de l'univers

Toujours selon Desaulniers, ces douze univers, bien qu'ils soient distincts, peuvent être regroupés en sous-catégories : l'humour burlesque, social, existentiel et métaphysique. Si l'on se concentre de façon plus précise sur les univers qui gravitent autour de l'absurde moderne, voici le schéma qu'il aurait probablement proposé :

FIGURE 2.1
Les univers humoristiques qui graviteraient probablement autour de l'absurde moderne, selon Jean-Pierre Desaulniers

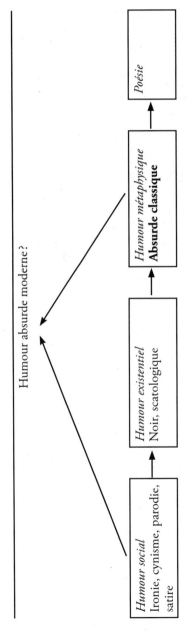

Explications de la figure 2.1

Dans un premier temps, on comprend que Jean-Pierre Desaulniers inclut dans l'humour dit « social » les univers de l'ironie, de la satire, de la parodie et du cynisme. De leur côté, les humours noir et scatologique se veulent des humours de type « existentiel » car les thématiques abordées renvoient à la nature humaine : la vie, la mort, la maladie, les handicapés, le sexe, le caca. L'humour noir convertit le tragique en comique et l'événement le moins facilement acceptable en divertissement inoffensif. Sa révolte est au service d'une cause qui le dépasse : la libération totale de l'homme.

Après l'humour dit « existentiel », vient l'humour « métaphysique » dans lequel l'absurde classique prend forme en réinventant un monde qui fait appel à une tout autre logique que celle que nous connaissons dans le réel. Ainsi, le fantastique, le non-sens, les personnages surréalistes, tout devient possible. Nous sommes dans l'univers d'Ionesco, d'*Alice au pays des Merveilles* et pas très loin de celui des Denis Drolet. Finalement, après l'humour métaphysique, on dérive vers le domaine de la poésie qui pourrait s'apparenter à l'univers de Sol ou de Claude Gauvreau.

Classification des types d'humour : modèle personnel

En regardant la catégorisation proposée par Jean-Pierre Desaulniers, je n'ai d'autre choix que d'être en accord avec son raisonnement. Toutefois, comme l'humour se veut un caméléon et qu'aujourd'hui le mélange de style est très populaire, il devient difficile, par moments, de classer un humoriste dans une catégorie bien précise. D'une blague à l'autre, on peut passer de l'absurde à une critique sociale, tout en faisant appel à la merde pour le faire ! Je pense, par exemple, à l'humour américain de *South Park*. Certains appellent ce style l'humour « nouveau genre », ne sachant pas trop comment le définir. Bien qu'elle soit intéressante, la catégorisation précédente est, à mes yeux, un peu incomplète par rapport à la complexité de l'humour absurde moderne. C'est pourquoi j'ai décidé de recréer un nouveau schéma de classification des types d'humour à partir de celui de Jean-Pierre Desaulniers, afin d'éclaircir les zones grises et de montrer de nouvelles catégories qui font office d'entre-deux.

FIGURE 2.2
Modèle personnel de la classification des types d'humour qui gravitent autour de l'absurde moderne et des humoristes qui s'y rattachent

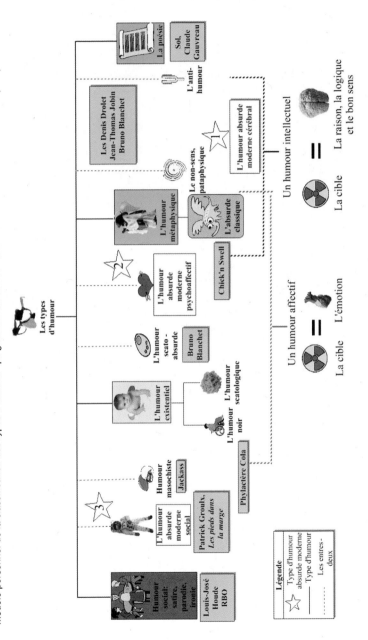

Explications du modèle

En jetant un coup d'œil sur le schéma précédent, il est possible de retrouver les grandes catégories tirées du modèle de base de Jean-Pierre Desaulniers (voir figure 2.1), l'humour social, l'humour existentiel, l'humour métaphysique et la poésie qui sont représentés respectivement par les couleurs rouge, jaune, bleue et verte. De mon côté, je n'ai fait qu'ajouter des entre-deux que je jugeais pertinents pour faciliter la catégorisation des types d'humour :

> L'humour absurde social : jouer au minigolf avec un nid-de-poule à un feu rouge.
> L'humour masochiste : « Je me fais mal et c'est drôle », l'autodérision.
> Le scato-absurde : « Un caca géant et des vagins volants attaquent la terre. »
> L'humour absurde psychoaffectif : « Nooon ! ma banane est morte ! »
> L'humour absurde cérébral : « Il est 4 :45 dans un catalogue près de chez vous. »
> Le non-sens, le pataphysique, « le non-rapport » : « Mime moi une couleur ! »
> L'anti-humour : il n'y a pas de phrase-choc et c'est drôle.

Encore une fois, il s'agit d'une simple classification des styles et un même humoriste peut très bien se promener d'une catégorie à l'autre, comme Bruno Blanchet, par exemple, qui se retrouve à la fois dans l'univers « scato-absurde » et l'humour absurde moderne cérébral. J'ai cependant assigné les humoristes au style qu'ils pratiquent le plus couramment.

Les trois types d'humour absurde moderne

Avec cette classification, deux constats principaux ressortent. Premièrement, on remarque que l'humour absurde moderne se subdivise en trois catégories et qu'il ratisse plus large que son prédécesseur en matière de diversité. Quels sont donc ces trois types d'humour absurde moderne qui me serviront de colonne vertébrale dans cet ouvrage ?

1. L'humour absurde cérébral : la cible, c'est la raison

L'humour absurde moderne dit cérébral, qui attaque principalement la raison, la logique et le bon sens, est une forme d'humour qui se situe entre l'absurde classique et la poésie. Il se veut en partie métaphysique, car il recrée une logique qui lui est propre, tout en effleurant la zone du non-sens et celle que je nomme l'anti-humour. Ces zones ne sont pas très loin de celle de la poésie, car les Denis Drolet reconnaissent d'ailleurs que leur humour ressemble parfois à un genre de poésie. Ils s'amusent avec le système verbal, tout comme peuvent le faire, à leur façon, Jean-Thomas Jobin et Bruno Blanchet. Ces humoristes constituent donc le premier bloc d'humour absurde moderne basé sur le cérébral que j'analyserai de façon détaillée à partir du chapitre III.

2. L'humour absurde moderne psychoaffectif : la cible, c'est l'émotion

Toujours dans le schéma précédent, on remarque que l'humour absurde moderne psychoaffectif trouve sa niche entre l'humour existentiel et l'humour métaphysique. Il s'agit d'un style humoristique qui fait parfois appel à l'humour noir à travers une logique absurde et qui se rapproche le plus de l'absurde classique, tant par la forme que par les thèmes employés (drame, amour, maladie, mort). La notion d'absurdité apparaît généralement dans l'exagération d'une émotion quelconque en ajoutant du drame là où il n'y en a pas nécessairement. L'exemple de l'homme qui pleure car son amie la banane géante agonise, avec un arrière-plan sonore mélodramatique, demeure le plus concret pour illustrer ce genre d'humour particulier qui déforme la réalité. Au Québec, ceux qui incarnent le mieux le style en question sont sans aucun doute les Chick'n Swell. Le chapitre IV sera donc consacré entièrement à l'analyse de ce trio d'humoristes.

3. L'humour absurde moderne social :
la cible, c'est le social

De son côté, l'humour absurde moderne, que je qualifie de social, est peut-être celui qui est le plus difficile à saisir. Contrairement aux deux précédents, il possède un certain désir d'aller vers l'autre, de l'interpeller, de communiquer avec lui et de l'inclure dans un contexte absurde plus «léger». Habituellement, en matière d'humour absurde moderne, ce sont les gens qui doivent s'adapter à la bulle de l'humoriste, tout en demeurant souvent passifs. Toutefois, avec la catégorie de l'absurde social, c'est l'humoriste qui transpose cette bulle imaginaire sur la scène publique en imposant son propre monde absurde et en rentrant dans l'espace vital de l'autre. La figure 2.3 illustre bien cette dynamique particulière entre l'humoriste absurde moderne social et le public :

FIGURE 2.3
Illustration de la nouvelle dynamique qui se crée entre le public et l'humoriste absurde moderne social

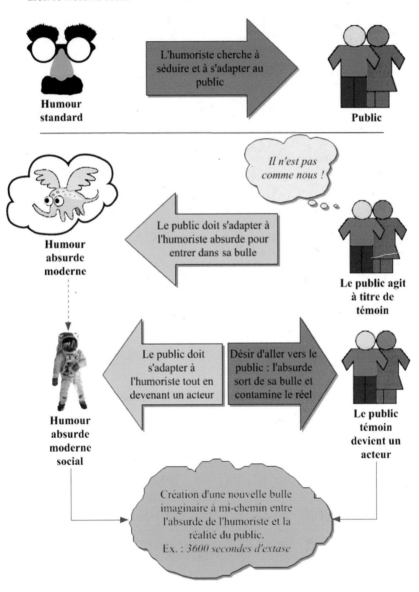

Un exemple peut-être? L'humoriste Patrick Groulx, dans son émission le *Groulx luxe* diffusée à Musique plus en 2002 et 2003, décide « d'imposer » sa bulle imaginaire à la vie publique en allant jouer au minigolf dans un nid-de-poule au feu rouge d'une intersection achalandée. La situation est absurde et anodine certes, mais, en grattant plus profondément, ce geste invite non seulement le spectateur à prendre part au contexte malgré lui, mais peut aussi dénoncer indirectement le mauvais entretien de nos routes montréalaises. Alors, puis-je affirmer qu'il s'agit d'un type d'humour absurde moderne qui est porteur d'une certaine critique sociale non loin du cynisme? C'est pourquoi je situe Patrick Groulx entre l'humour social et l'humour existentiel, tout comme les émissions *Les Pieds dans la marge* et *3600 secondes d'extase* ainsi que le groupe Phylactère Cola qui, bien qu'il soit considéré par certains comme étant absurde, oscille souvent entre la critique sociale, la satire et l'humour noir au moyen d'un traitement absurde. Néanmoins, l'exemple qui représente le mieux cette catégorie hétérogène qu'est l'humour absurde moderne social est, selon moi, l'émission le *Fric Show* animée par l'inclassable Marc Labrèche et présentée à Radio-Canada à l'hiver 2006. Dans cette émission d'affaires publiques, le personnage-animateur, aux allures de Freak Show surréaliste, traitait de sujets économiques sérieux dans un environnement absurde qu'il « imposait » à ses interlocuteurs, les forçant ainsi à embarquer dans une « nouvelle réalité ».

Si vous ne saisissez pas tous les rouages de ce type d'humour absurde pour l'instant ce n'est pas bien grave! Tout ce que vous devez savoir, c'est que l'humour absurde moderne social constitue le troisième grand bloc qui recouvre plusieurs styles et variantes dans lequel j'inclus le groupe Phylactère Cola, les émissions *3600 secondes d'extase (2008-2011)*, le *Groulx luxe (2002-2003)*, *Dolloraclip (2002-2003)* et *Les Pieds dans la marge (2006-2010)*, animées respectivement par Marc Labrèche, Patrick Groulx, Louis-José Houde et Pierre-Paul Paquet (Mathieu Pichette) que je démystifierai à partir du chapitre VII.

Par ailleurs, je ferai une section pour étudier le travail des humoristes qui ne cadrent pas totalement dans l'un des trois grands blocs d'humour absurde moderne, mais dont les styles humoristiques en sont plus ou moins influencés. C'est un peu le cas d'André Sauvé qui tend vers un humour absurde plus philosophique où il parvient, au moyen d'une réflexion excessive, à décortiquer des concepts banaux et à leur donner une profondeur parfois exagérée. Je lui réserverai donc un chapitre, ainsi qu'au groupe de musique les Trois Accords et l'émission *Le cœur a ses raisons*.

Conclusion du chapitre

Avec la catégorisation et la définition des trois grands types d'humour absurde moderne, on peut dire que les préliminaires sont terminés! À partir du prochain chapitre, je vais les décortiquer un à un, en commençant par l'humour absurde cérébral. Pour chaque humoriste analysé, je dresserai un portrait global comprenant biographie, description du style, analyse des mécanismes humoristiques, exemples et une brève analyse psychosociale en lien avec les grands blocs auxquels ils sont associés respectivement. Dans l'ordre, je dresserai donc un portrait de l'humoriste Bruno Blanchet, que je considère comme le père de l'humour absurde moderne toutes catégories confondues, et je démontrerai l'influence qu'il a pu avoir sur la mutation de l'absurde au Québec. En second lieu, je vais démystifier les incontournables Denis Drolet en jetant un second regard sur leur humour absurde particulier, avant de consacrer un chapitre à l'analyse de l'humour singulier de Jean-Thomas Jobin.

Bloc 1

L'humour absurde moderne cérébral : la cible, c'est la raison

Chapitre III

Bruno Blanchet :
le père de l'humour absurde
moderne ?

Bruno, notre ami Bruno, ce «petit gars» dans la fin de la quarantaine natif du quartier Rosemont à l'imagination débordante et délurée demeure, au fond, quelque peu timide et hypersensible tout en étant grand passionné des gens, d'humour, de voyages et d'idées nouvelles. Nul ne peut nier sa contribution au paysage de l'humour québécois et à l'émergence d'un nouveau style que certains appellent l'humour nouvelle génération ou absurde. Qui n'a jamais entendu parler de son personnage du «petit monsieur pas de cou», de «Tite-Dent», du plombier magique, de sa caricature plutôt répugnante de Lara Fabian s'exclamant «Ouuuhaha ouhaha» et de sa fameuse chronique Quoi ne pas faire en fin de semaine à l'émission *La fin du monde est à 7 heures*? Un peu moins productif sur la scène de l'humour ces dernières années, il demeure néanmoins actif et présent dans le monde du spectacle québécois avec ses articles sporadiques publiés dans *La Presse* et avec son émission *Partir autrement* diffusée à TV5. Si certains croient que les Denis Drolet, Jean-Thomas Jobin et les Chick'n Swell sont les maîtres de l'absurde actuellement, d'autres diront que Bruno Blanchet en est le père. Du moins, il est l'un des précurseurs qui a permis à cette forme d'humour de percer le monde télévisuel québécois grâce, en majeure partie, à la populaire émission que fut *La fin du monde est à 7 heures*, animée par Marc Labrèche de 1997 à 2000. À mes yeux, Blanchet repré-sente le pivot entre ce que j'appelle l'humour absurde «ancien» et l'humour absurde moderne. Avec la génération précédente, l'absurde comme tel se faisait sentir davantage par l'entremise du traitement choisi que par le sujet exploité.

> Claude Meunier nous a fait évoluer. Avant lui, notre humour, c'était celui du canal 10. Actuellement on est rendu là où en étaient les Britanniques en 1970. Personnellement, j'accorderais la palme de l'humour aux Britanniques. J'ai d'ailleurs été influencé comme bien d'autres par les Monty Python. Les Américains ont bien tenté de récupérer Mr. Bean, mais on a voulu faire un Mr. Bean cute alors qu'il est fondamentalement méchant. On en a fait un Pee-Wee Herman raté[1].

On comprend un peu mieux l'humour de Blanchet lorsque celui-ci nous dit qu'«il ne faut jamais faire exploser quelqu'un qu'on aime[2]». Surnommé «l'extra-terrestre» par certains de ses collègues, c'est un peu lui qui a lancé le mouvement et établi les quelques composantes communes à l'humour absurde moderne québécois : la notion de «non-rapport», les longueurs et les détails inutiles (l'hyper précis), les fausses corrélations, l'univers fantas-tique et surréaliste, l'hyper valorisation du banal, les décrochages volontaires et jouer «faux». Bref, si certains humoristes ont des cibles bien précises, disons que celles de Bruno visent plutôt à déconstruire la rationalité. Son plaisir réside, en partie, dans la mécanique humoristique : la jouissance de faire des liens inédits, des liens inopinés et insignifiants. «Je ne provoque jamais de haine, je n'attaque personne sinon la logique et le bon sens[3]», nous rappelle Blanchet. S'attaquer à la raison, serait-ce un peu comme s'attaquer à une valeur très contemporaine de la société ? La victoire du non-sens absolu sur la raison et les sentiments s'apparenterait-elle à l'absurdité de notre condition de mortel ?

---

1. Jean Beaunoyer, «Bruno Blanchet, le pataphysicien de la télé» (citation de Bruno Blanchet), *La Presse*, 24 novembre 1997, p. B9.
2. Bruno Blanchet, *Choses à ne pas faire*, Montréal, Les Intouchables, 2000, p. 48.
3. Jean Beaunoyer, «Bruno Blanchet, le pataphysicien de la télé» (citation de Bruno Blanchet), *La Presse*, 24 novembre 1997, p. B9.

Les mécanismes humoristiques de Bruno Blanchet

S'appuyant sur les bases du non-sens et de l'illogisme, le type d'humour de Bruno Blanchet est textuel et fortement imagé, ce qui lui permet de transposer facilement son travail radiophonique vers le médium télévisuel. Sans être totalement défini à l'époque de l'émission *Le Studio*, c'est à *La fin du monde est à 7 heures* en 1997 qu'il a pu affiler son genre en bénéficiant d'une plus grande liberté de création. C'est à travers sa chronique hebdomadaire du vendredi, Quoi ne pas faire en fin de semaine, que Bruno Blanchet sort véritablement de l'ombre. Il nous livre alors, dans sa capsule, des conseils plutôt tordus et absurdes, mais qui relèvent généralement du gros « bon sens ». Le titre de la chronique faisant appel à la négative, ouvre la porte à un vaste éventail de possibilités englobant des détails loufoques de toutes sortes. Dans un monde où l'on a souvent trop de choix à faire, les conseils de Bruno reflètent un peu cette notion de totale liberté parfois angoissante pour certains : « Bonne nouvelle, en fin de semaine vous n'êtes pas obligé d'apprendre à jouer au ping-pong[4]. » Admirez ici l'accumulation d'éléments particuliers qui diminue considérablement les probabilités de réalisation : « Quand on aime se lever la nuit et aller à la cuisine ouvrir la porte du frigidaire pour admirer en silence la réflexion de son sexe sur la surface d'un bol de Jello, faut surtout pas en parler à personne[5]. » En plus de l'absurdité des propos, ce qui devient drôle, c'est la neutralité du ton qu'il emploie. Véritable pince-sans-rire, il se donne des airs d'intellectuel pour conserver l'illusion de la rationalité. D'ailleurs, on le surnomme parfois Maître Bruno Blanchet, et ce même s'il n'a jamais décroché ce titre officiel comme tel. Par sa forme impérative, les conseils de Bruno, qui deviennent en réalité de « faux conseils », s'adressent à la raison tout en cherchant à la rendre folle et à lui faire perdre ses repères. C'est un peu comme si un dessin en trois dimensions perdait son point de fuite ou qu'il en avait plusieurs. La logique ne sait plus où donner de la tête.

---

4.   Bruno Blanchet, *Choses à ne pas faire*, Montréal, Les Intouchables, 2000, p. 129.
5.   *Ibid.*, p. 161.

Il ne faut pas confondre un kangourou avec une cornemuse. Le kangourou pourrait vous mordre[6]. Si vous voulez être désagréable, chaque semaine, cachez un camembert chez une esthéticienne. Pendant un cours de yoga, parlez de votre char et essayez d'avoir une érection[7].

En 1997, une personne qui n'est pas aguerrie aux rouages de cette mécanique humoristique a plus de difficultés à se laisser aller et à en rire. Face à l'incompréhension, au côté «bizarroïde» de Bruno et au «malaise télévisuel» causé par certaines situations absurdes, le spectateur reste subjugué. Il se dit: «c'est quoi ça? et pourquoi?» Pour répondre à ces personnes déroutées, Blanchet a même pris la peine d'écrire un sketch dans lequel il fait une mise en abîme de ce questionnement en essayant d'expliquer sa vision de l'absurde par l'entremise d'un dialogue absurde entre lui et la marionnette Bibi. Voici l'extrait dans lequel on retrouve la réponse qu'il nous donne pour décrire son style.

Bibi: *Pourquoi t'as posé le pingouin dans un autre texte?*

Bruno: *Pas le pingouin, le témoin. C'que j'fais c'est que je dépeins une situation réelle c'est tout! Mettons, c'est comme un tableau, j'modifie un peu les couleurs ou ben j'prends la toile et j'la retourne à l'envers ou, simplement, je concentre mon observation sur un point ben précis, et tout ça finit par devenir drôle à force d'être à la fois si proche de la réalité et, en même temps, complètement surréaliste.*

Bibi: *Pourquoi tu fais ça?*

Bruno: (long silence où les deux se regardent, regardent la caméra) *Pour faire plaisir à mes parents...?*

Bibi: *Papa...*

Bruno: *Quoi?*

Bibi: *Je t'aime...*

Bruno: *Moi aussi, je t'aime...* (ils s'enlacent) *Viens on va aller manger des Honey-Combs...*[8]

---

6.   *Ibid.*, p. 53.
7.   *Ibid.*, p. 64.
8.   *Ibid.*, p. 81.

Les personnages de Bruno Blanchet :
l'hymne à la tolérance

Probablement inspirées en partie des racines de la société individualiste, les blagues de Bruno Blanchet incluent souvent des personnages qui sont plus marginaux ou qui possèdent des attributs les différenciant de la norme. D'ailleurs, dans l'une de ses chroniques, il nous suggère l'hymne à la tolérance, question de respecter les gens qui sont différents de nous. Le « petit monsieur pas de cou », le « plombier magique » et « Tite-Dent » en sont quelques exemples. Il exagère et pousse encore plus loin le concept de la tolérance et celui de l'ultra précision dans la blague suivante : « Vietnamiens dans la trentaine nymphomanes et agoraphobes qui souffrez d'eczéma et de ballonnements et qui êtes conducteurs de Zamboni une fin de semaine sur deux, ne soyez pas malheureux. Vous êtes vraiment des gens exceptionnels[9]. » En s'y attardant un peu plus et sans nécessairement être le but principal, la blague précédente se veut carrément une caricature de l'énoncé tiré de l'essai sur l'individualisme contemporain de Gilles Lipovetsky :

> Avec l'émiettement des particularismes et la surenchère minoritaire des réseaux et associations (pères célibataires, obèses, chauves claustrophobes), c'est l'espace de la revendication sociale lui-même qui prend une coloration humoristique. Drôlerie tenant à la démultiplication, à la miniaturisation interminable du droit aux différences, microsolidarités[10].

Par moments, la chronique de Bruno est pondérée de petits « reportages-films » dans lesquels il transpose véritablement son univers. Ainsi, en appelant à la tolérance, les personnages qu'incarne Bruno sont souvent très caricaturés. Ses premières expériences télévisuelles touchant aux émissions jeunesse conservent cet univers « enfantin » et ludique qui se rapproche de la bande dessinée, mais avec une apparence plus « trash ». On remarque souvent très peu de variantes dans l'émotivité des personnages et Bruno se contente d'aller dans les stéréotypes extrêmes. À titre

---

9. *Ibid.*, p. 117.
10. Gilles Lipovetsky, *L'Ère du vide : essais sur l'individualisme contemporain*, Paris, Folio Gallimard, 1983, p. 235.

d'exemple, ses personnages féminins sont la plupart du temps exagérément naïfs, excentriques et affichent sporadiquement des sourires niais. On peut penser aussi à l'adolescent stoïque avec sa tuque sur les yeux qui dit « fuck », Jésus, le « fif » qui se touche les « bouttes », « Tite-Dent », l'homme d'affaires sérieux, le gars stressé, etc. Une fois de plus, il a contribué à établir l'archétype du personnage « humoristico-absurde moderne québécois » dont les artisans de ce métier s'inspirent et qu'ils exploitent aussi. Toutefois, contrairement aux Chick'n Swell, qui misent davantage sur le drame et les sentiments, les capsules visuelles de Bruno sont pratiquement dénudées d'affects et ne laissent place qu'à l'absurdité pure et dure. Le spectateur ne se sent jamais réellement investi lourdement. Comme dans l'exemple où Blanchet nous rappelle qu'il ne faut jamais exploser, au premier sens du terme, lorsque nous passons une entrevue pour un emploi. Ce qui est drôle dans ce sketch, c'est de voir la réaction du patron qui ne bronche pas d'un poil face à l'incident et qui se permet même de bâiller, comme s'il n'y avait plus rien qui l'étonnait. La formule est simple : l'absence d'émotions, le décalage entre la réaction et la nature de la situation mène au rire. Est-ce ici une critique indirecte ou inconsciente du sensationnalisme télévisuel qui ne cherche qu'à étonner constamment l'œil du spectateur ? Sommes-nous rendus à l'ère où justement il n'y a plus rien qui nous étonne ?

La naissance de l'humour absurde moderne télévisuel : les longs silences

Ce qu'on remarque surtout dans l'humour télévisuel de Blanchet, c'est la lenteur du rythme entrecoupé de longs silences énigmatiques « inutiles ». Avec ce genre qui a influencé entre autres celui des Chick'n Swell et de Patrick Groulx, le contexte devient drôle parce que c'est « mauvais ». Les plans fixes et volontairement trop longs créent un certain malaise chez le spectateur qui se dit : « Ce n'est pas normal, il va se passer quelque chose. » Les longs silences prémédités ont pour effet « d'éveiller la lucidité » du spectateur et lui demandent de s'attarder aux détails, tel un enfant qui s'émerveille devant quelque chose de simple. De plus, ces silences nourrissent le visuel et donnent du poids à la valeur des textes, un peu comme en musique où il n'y a pas de mélodie sans pause. Cette temporalité exagérée permet de mettre l'accent sur l'absurdité de la situation. Or, ce qui arrive parfois avec l'humour absurde moderne, c'est que la finale attendue ne vient jamais ou est carrément « poche » et l'humour réside dans le fait qu'il n'y a justement pas de point culminant. C'est une autre façon de surprendre.

Les différents degrés de l'humour absurde de Bruno Blanchet

Avec Blanchet et d'autres humoristes de l'absurde, il est intéressant de voir que plusieurs degrés peuvent cohabiter à l'intérieur même de ce style. Comme l'humour est toujours un caméléon et une hybridation de différents styles, il devient difficile de les séparer clairement. Voici trois niveaux d'absurde qui se distinguent relativement bien dans les exemples proposés.

Le 1er degré

Mécanique assez populaire chez Blanchet et reprise par d'autres, c'est le plaisir de prendre les termes ou les expressions véritablement au premier degré et d'en faire sortir l'absurdité : « Si votre coach vous crie : "montre-moi ce que tu as dans le ventre !", il ne veut pas nécessairement vous voir faire caca sur la patinoire[11]. » On remarque toutefois avec Blanchet, plus qu'avec tout autre humoriste de l'absurde, que ses thématiques sont souvent teintées d'une connotation « scatologique » ou sexuelle, ce qui ramène à un type d'humour très existentiel, tout en donnant une saveur absurde aux blagues de « marde » classiques.

---

11. Bruno Blanchet, *Choses à ne pas faire*, Montréal, Les Intouchables, 2000, p. 107.

Le 2ᵉ degré

Même si cela est plutôt rare dans l'absurde moderne, car on dit souvent de ne pas chercher un deuxième sens à ce genre d'humour, rien n'empêche que Bruno Blanchet se permet à l'occasion quelques jeux de mots d'esprit qui ne sont pas sans rappeler les interrogations loufoques de Pierre Légaré : « Il ne faut pas oublier qu'un plan de carrière, c'est parfois un trou[12]. »

Le non-sens

Bruno Blanchet attaque carrément la logique et inverse les rapports au temps avec les lieux. Plus courant dans l'humour absurde textuel, c'est l'art de s'amuser avec la rationalité qu'évoquent certains termes ou expressions. « Il est exactement dix heures dix dans un catalogue près de chez vous[13]. »

La recette

Mélangez ces trois degrés d'absurdité, ajoutez-y des détails précis et des longueurs inutiles, parsemez-les à l'occasion d'une dose « scatologique » ou surréaliste, livrez le tout sur un ton neutre ou par l'entremise de personnages ultra caricaturés et vous obtiendrez le style de Bruno Blanchet. Télévisuel ou pas, son humour vise toujours la même chose : surprendre et dérouter le lecteur !

> Si en fin de semaine, alors que vous vous promenez dans le bois, il fait beau, les arbres sont magnifiques, soudainement vous tombez face à face avec un homme, un bel homme, légèrement grisonnant, assis sur une bûche dans une clairière, avec d'un côté, un golden retriever et, de l'autre, deux Vietnamiennes et un jeune homme de race noire qui s'amusent en se lançant un frisbee… Attention ! Vous êtes sur le point d'entrer dans une photo de catalogue[14].

---

12. *Ibid.*, p. 33.
13. *Ibid.*, p. 51.
14. Bruno Blanchet, *Choses à ne pas faire*, Montréal, Les Intouchables, 2000, p. 121.

Pourquoi est-ce drôle?

«Il ne faut jamais mettre quelque chose où il ne fallait pas mettre quelque chose[15].» N'est-ce pas tout à fait logique et évident? Par contre, le rire découle du fait qu'on se dit: «Pourquoi prendre le temps d'affirmer une telle chose?», «Comment a-t-il fait pour imaginer ça?» et, si on va encore plus loin: «Pourquoi une chaîne de télévision a-t-elle décidé de le mettre en ondes ou de publier son livre?»

Dans sa chronique à *La fin du monde est à 7 heures*, dans presque tous les cas, ce sont les regards intrigués et les rires «pathétiquement amusés» de l'animateur Marc Labrèche à l'égard des propos de Blanchet qui rendent la situation encore plus cocasse. Ce qui marche, ce sont les réactions de Labrèche et les fous rires de studio qui viennent soutenir le contexte absurde et démontrer l'importance de «l'autre» dans une blague absurde. Labrèche devient le pont et la référence à la «normalité» à laquelle s'identifie le spectateur. Ses réactions d'incrédulité ou de découragement amusé «réconfortent» et font rire la personne devant son téléviseur qui se dit: «Je ne suis pas seul à trouver bizarre ce que je viens de voir.»

L'émission *N'ajustez pas votre sécheuse*, diffusée à Télé-Québec en 2001, fut, d'une certaine manière, la suite des capsules de Bruno Blanchet dans *La fin du monde est à 7 heures* et dans *Le studio*. Au début de l'émission, il nous accueillait chez lui avec une situation cocasse. Par la suite, s'enchaînaient plusieurs sketches tels que «les coucou», «les tours dans la rue»… et d'autres mises en situation. Puis, à la fin de l'émission, il y avait l'épisode de Kmorr le conquérant où Bruno jouait environ cinq personnages à la fois dont Tite-Dent qui trouvait toujours la solution aux problèmes. Avec cette émission, le spectateur était plongé dans l'univers particulier et quelque peu hermétique de Bruno Blanchet pendant trente minutes, ce qui faisait perdre cette notion de rapport à la réalité apportée par Marc Labrèche dans la *Fin du monde*. Même si Bruno tentait de faire lui-même le pont entre certaines de ses capsules, comme François Pérusse peut le faire dans ses albums

---

15. *Ibid.*, p. 46.

humoristiques, on ne retrouvait pas la même dynamique. C'est peut-être pour cela que l'émission n'a pas connu autant de succès que prévu, ne durant qu'une seule saison. Quoi qu'il en soit, à mon avis, c'est Marc Labrèche qui a permis à l'humour absurde de « voler de ses propres ailes » par la suite, car les gens ont continué à « imaginer » ses réactions malgré son absence.

L'héritage Blanchet

Avec *La fin du monde est à 7 heures*, le concept étant relativement nouveau dans l'univers télévisuel, c'est ce qui surprenait et déstabilisait quelque peu le spectateur. C'était, en quelque sorte, un véritable laboratoire médiatique où il était permis de se « casser la gueule » en ondes, de ne pas se prendre au sérieux et d'exceller dans l'art de faire du « mauvais ». D'une certaine manière, les concepteurs étaient en train d'établir les bases mêmes de l'humour absurde moderne en matière de télévision québécoise. Sans être des copies conformes du genre, on perçoit l'influence indirecte de Marc Labrèche, mais plus particulièrement l'héritage laissé par Bruno Blanchet dans des émissions comme les *Chick'n Swell* (SRC), le *Groulx luxe*, *Dolloraclip* (Musique plus) et *Les Pieds dans la marge* où l'on délaisse les gros décors au profit de l'originalité audacieuse, du côté « bas de gamme » et des « longueurs inutiles » au regard soutenu à la caméra. Depuis 1996, petit à petit, la société québécoise se familiarise davantage avec le genre et les mécanismes de cette forme d'humour, ce qui atténue parfois l'effet de déstabilisation. Cela demande aux humoristes de s'adapter en conséquence et de renouveler leur genre dans le but de pouvoir conserver cette notion de surprise nécessaire au rire. À partir du prochain chapitre, nous verrons donc qui sont les « enfants spirituels » de Blanchet et comment ils s'y prennent.

CHAPITRE IV

Les Denis Drolet
et l'humour « brun »

Qu'on le veuille ou non, les Denis Drolet, ces deux spécimens à l'allure vestimentaire brunâtre sorti tout droit des années 1970, font à présent partie intégrante du paysage humoristique québécois. Non seulement ils sont parmi les chefs de file de ce nouveau courant d'humour absurde, mais certains vont jusqu'à dire qu'ils en sont les « maîtres ». Selon moi, ce groupe représente à merveille la notion d'humour absurde moderne cérébral dénudé d'affects.

Pour ceux et celles qui ne sont pas familiers avec le style humoristique des Denis Drolet, celui-ci s'inscrit dans la généalogie des Paul et Paul, en repoussant un peu plus loin les frontières mêmes de l'humour absurde. Les Denis Drolet prennent plaisir à jouer avec les mots, à créer des associations entre des termes et des concepts qui n'ont absolument aucun lien sémantique, et ce de façon presque gratuite, sans chercher à leur donner un deuxième sens. « Mettez-vous de la moutarde dans vos hot dogs? (Denis Drolet) Non, pas d'la moutarde, des photos d'Alain Dumas à la place[1]. » Par moments, l'humour des Denis se veut presque une poésie qui vient chatouiller l'univers de Sol en matière de

---

1. Société Radio-Canada, SRC: *Tout le monde en parle*, en ligne, clavardage avec les Denis Drolet, www.src.ca/television/tout_le_monde_en_parle/ bien_plus/clavardages_denisdrolet.shtml.

théâtralité, sans toutefois lui ressembler sur le plan du contenu. Derrière cette avalanche de non-sens et d'absurdités, les Denis Drolet se plaisent à inventer des mots, tout comme Sol pouvait le faire, sans qu'il n'y ait cependant de deuxième degré ou d'intention de passer un message politique. «Y a rien à chercher dans nos textes […] Y suffit de se laisser emporter par les images parfois drôles parfois *space* ou plus poétiques[2].» En général, les gens qui n'apprécient pas ce genre d'humour critiquent le manque de profondeur de ce discours. L'ardeur et le travail rigoureux y sont toujours, mais l'humour des Denis Drolet apparaît spontané, donc «facile», car l'essentiel de celui-ci repose sur la notion du «non-rapport». «L'inspiration nous vient d'à peu près n'importe quoi dans la vie, autant des robots que des moustaches que de la guerre dans le monde. C'est ce qui fait la couleur des Denis Drolet[3].»

Qui sont les Denis ?

Originaires de Saint-Jérôme, Vincent Léonard et Sébastien Dubé sont deux amis de longue date qui se cachent derrière les Denis Drolet. Ayant fait partie de la même cohorte qu'eux au secondaire, je peux même porter le chapeau «d'analyste témoin». Déjà à cette époque, le type d'humour absurde particulier préconisé par le duo avait une certaine popularité dans la cour d'école et les classes. Influencés par les sketchs plus absurdes de Rock et belles oreilles tels que «Zizanie[4]» ainsi que par l'humour américain des *Simpsons*, Leslie Neilsen (*L'Agent fait la farce*), Weird Al Yankovic, la culture télévisuelle et le ludisme naïf de l'émission éducative gouvernementale *Passe-Partout*, les jeunes de l'époque ont combiné ces styles en les adaptant aux nouveaux besoins et valeurs de la société, créant ainsi une nouvelle forme d'humour dont les Denis Drolet sont devenus l'un des porte-paroles au Québec. En jetant un coup d'œil à l'album des finissants de 1996 de la polyvalente

2.   *Ibid.*
3.   *Ibid.*
4.   Rock et belles oreilles, 2002, *Rock et belles oreilles : The coffret* (*The DVD 1986-1987*), série télévisée sur DVD, Montréal, Amérimage-Spectra, 936 minutes.

Saint-Jérôme, on s'aperçoit que l'humour de Vincent Léonard était déjà parsemé d'absurdité «brune» à cette époque et que ce style d'humour connaissait aussi d'autres adeptes, ce qui expliquerait l'aspect générationnel. Comme quoi le marginal d'hier devient le commercial d'aujourd'hui[5] :

LÉONARD, VINCENT
(79-02-07)
SURNOM : Sylvain le clown.
HOBBY : Théâtre, accoucher, mordre mes dents, crier après mes cheveux.
STYLE DE MUSIQUE : Québécois (Plume, Piché, Ferland).
PHOBIE : Les ours pyromanes et alcooliques dansant et se fouettant sur une musique créole.
ENDROIT FRÉQUENTÉ : Duff, siffleux, tinez, pollock...
DANS 15 ANS JE M'IMAGINE : Obèse, nain, roux, barbu, souriant, cardiaque, jovial, honnête en société...

PAPINEAU, SIMON
(79-01-04)
SURNOM : Mustafah Ramirez.
HOBBY : Faire de la lutte dans la mayonnaise.
STYLE DE MUSIQUE : Musique de film XXX.
PHOBIE : Les quilleurs avec des «toasts».
ENDROIT FRÉQUENTÉ : La quincaillerie, les champs de jonquilles.
DANS 15 ANS JE M'IMAGINE : Jongleur et ébéniste à temps partiel.

---

5. Album des finissants et finissantes 1995-1996 de la polyvalente Saint-Jérôme, p. 56, 66 et 29.

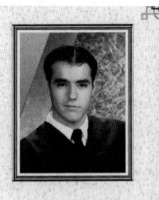

CÔTÉ, OLIVIER
(79-11-05)
SURNOM : Camille.
HOBBY : Moudre du poivre de cayenne.
STYLE DE MUSIQUE : Chorale de grillons.
PHOBIE : Il faut manger des mouches.
ENDROIT FRÉQUENTÉ : Charcuterie de M. Dubouil.
DANS 15 ANS JE M'IMAGINE : Vendeurs de barbotines au miel.

Quoi qu'il en soit, le style d'humour des Denis Drolet était pratiquement déjà défini en 1996 et ils n'ont fait que l'aiguiser davantage et le parfaire lors de leur formation en improvisation au secondaire, en théâtre au cégep Lionel-Groulx et à l'École nationale de l'humour en 1999-2000. Ils ont su se démarquer des autres avec leur propre style, se faisant même remarquer par Guy A. Lepage qui est devenu coproducteur de leur premier disque. Même si, au départ, ils ont connu un certain succès avec leurs sketchs absurdes auprès d'un public plus jeune et « prédisposé », c'est véritablement grâce à leurs talents musicaux qu'ils ont pu rejoindre le grand public et participer aux galas Juste pour rire, sans pour autant s'épargner les huées de certains spectateurs lors d'un numéro plus théâtral. Comme quoi l'humour absurde, on aime ou on n'aime pas !

La mélodie accrocheuse du premier extrait, *Fantastique*, combinée à des paroles complètement loufoques sans queue ni tête, a en effet contribué à rendre plus accessible ce type d'humour et à ouvrir la porte à l'univers des Denis Drolet. En comparaison avec les autres chansons de l'album, le degré d'absurdité de la pièce *Fantastique* est cependant plus accessible. En voici un extrait :

> On peut masser la rue
> avec des cigares aux choux
> En regardant mes longues-vues

y a un plan de ma face qui me fait coucou
Les enfants nous vendent d'la crème en glace ce soiiiiiiiiiiir
On peut manger dans rue
sans se faire cracher d'ssus
Y a des spectaks gratis
Ça goûte le dentifrice
Le monde est mal habillés mais sont beau
C'est fantaaaaastiiiiiiiiique[6]

Les mécanismes de l'humour absurde en chanson des Denis Drolet

Même si le style varie très légèrement, la structure de l'humour absurde en chanson des Denis diffère quelque peu de celle de leur humour à sketch. La forme d'une chanson demande d'être plus concis, plus saisissant et la rime a son importance, contrairement aux sketchs où l'on exige une certaine «logique» dans la suite de l'histoire et où la lenteur ainsi que les silences sont permis. La force des Denis Drolet étant d'ordre lexical, ils n'ont donc pas de difficulté à adapter leur univers aux contraintes de la musique. C'est cependant leurs mélodies et leurs rimes qui assurent une continuité logique à laquelle l'auditeur peut s'accrocher afin de se laisser transporter par le tourbillon d'absurdités textuelles. Ce qui finit par séduire, c'est l'accumulation de «non-sens» et d'images mentales loufoques en rafale qui font perdre au cerveau tous ses repères. En l'étourdissant, la rationalité devient «folle» et se transpose dans un «état altéré» quelconque. Le ratio mots/absurdités étant très élevé, il ne laisse que très peu de temps à la logique et à l'imaginaire pour suivre la cadence, ce que l'on pourrait presque qualifier de «poésie dadaïste».

Les Denis Drolet portent leur humour atypique à un autre niveau de conscience, lequel ne s'encombre pas du deuxième degré qu'affectionnait le trio de Claude Meunier, Serge Thériault et Jacques Grisé. Faire le moins de sens possible : c'en est poétique. Naïf, plus souvent qu'autrement inoffensif, et radicalement différent de celui

---

6. Paroles de la pièce *Fantastique*, Denis Drolet, 2002, *Les Denis Drolet*, Montréal, JKP musique.

des humoristes qui ont l'habitude des supplémentaires au Théâtre Saint-Denis[7].

Certains disent qu'il s'agit d'un humour vide, mais la composition des textes des Denis est un véritable exercice mental pour ceux qui n'y sont pas habitués. À l'intérieur d'une même phrase, il peut y avoir plusieurs degrés d'absurdité et les seuls liens qui unissent la plupart du temps les phrases entre elles sont au niveau de la forme : question, rime ou nombre de syllabes :

> On va-tu étrangler des boussoles à Winnipeg ?
> On prend-tu 60 000 photos d'une roche ?
> On va-tu jouer dans l'film « Papa et le vinaigre » ?
> On s'achète-tu des 'tites'tites'tites sacoches ?
> On flatte-tu des petites télévisions couleurs ?
> On pleure-tu dans un casier ?
> On grafigne-tu des p'tits paquets d'crayons marqueurs ?
> On s'coiffe-tu en tapant du pied ?[8]

Il est important de voir qu'avec les Denis Drolet la signification d'un mot demeure toujours la même, sauf que c'est en combinant ce mot avec un autre qui lui est « inhabituel » et dont la définition n'a pratiquement aucun lien avec lui que cela fait naître une nouvelle relation, une nouvelle réalité. Dans la « strophe » de l'exemple précédent « on va-tu étrangler des boussoles à Winnipeg ? », les mots « étrangler », « boussole » et « Winnipeg » conservent leur sens initial, mais le comique ressort de leur interrelation ainsi que de l'addition de ces détails précis qui diminuent la probabilité d'exister. « Étrangler une boussole », déjà le concept est absurde, mais à « Winnipeg » en plus ? L'auditeur va se dire : « Mais pourquoi ? » Et les Denis Drolet vont lui répondre « Pourquoi pas ? » Ce qui devient drôle, c'est que, même si ce qu'ils disent est parfois pratiquement « impossible », il n'en demeure pas moins que c'est facilement imaginable et intelligible, sans être nécessairement réalisable. Comme dans une bande dessinée par exemple,

---

7.   Philippe Renaud, « Les Denis Drolet : Noyeux Joël ! », *La Presse*, Arts et spectacles, 28 décembre 2002, p. D13.
8.   Paroles de la pièce *Le soleil dans une bouteille*, Denis Drolet, 2002, *Les Denis Drolet*, Montréal, JKP musique.

l'image est assez forte pour que le spectateur puisse la visualiser dans sa tête. Personne n'a déjà vu de la « lasagne jouer du piano[9] » ou une « barbe en quenouille[10] », mais tout le monde peut facilement se l'imaginer. Voici d'autres exemples qui reflètent bien l'univers textuel des chansons du duo humoristique :

> On s'met des capes pis on glisse dans du lait
> Les parents d'Paul Arcand, c'est des jouets
> Ah, des hologrammes de singes qui parlent de sexe
> Un concierge au citron qui bécote des Kotex[11]

« L'hyper précis ? T'as pas rapport ! »

Pour faire rire, les Denis Drolet emploient aussi le qualificatif « inutile » et l'hyper précision. Ces deux composantes ne sont pas sans rappeler l'humour de Marc Labrèche lors de ses premières chroniques dans *Beau et chaud* à Radio-Québec, ses éditoriaux de *La fin du monde est à 7 heures* et ses aventures dans *Le cœur a ses raisons*. « Y'est saoul le chef d'orchestre avec des grands bras qui pique une plonge dans l'escalier en toasts Melba[12] », chantonne Vincent Léonard dans l'un de ses couplets. Encore une fois, c'est l'addition de tous ces détails qui crée une situation absurde et quasi improbable, quoique toujours imaginable. Premièrement, rares sont les probabilités de croiser un chef d'orchestre saoul ayant des grands bras et qui déboule les marches d'un escalier fait en toast Melba, mais, dans le monde des Denis Drolet, il « existe », car tout est possible. Ce qui est drôle, c'est que l'affirmation précédente n'a « pas de rapport » comme tel avec l'univers de l'auditeur, mais, dans celui des Denis Drolet où tout est « fantastique », la notion du « non-rapport » n'existe plus, car tout ce qui n'a pas de sens a effectivement un lien dans ce monde. En fait, ce qui serait absurde, ce serait d'entendre les Denis Drolet dire quelque chose de « sensé ». Bref, au pays des Denis c'est un peu comme si le public jouait le rôle d'*Alice au pays des merveilles*, car il devient la référence

---

9. *Ibid.* Paroles de la pièce *Oh yeah !*
10. *Ibid.* Paroles de la pièce *Un échange de félin.*
11. *Ibid.* Paroles de la pièce *The rong long vong the tung thing long song.*
12. *Ibid.*

entre ce qui est « normal » et ce qui est « absurde ». Les gens s'identifient à eux-mêmes et c'est la bizarrerie ainsi que l'incompréhension
de ces deux clowns en brun qui font rire. « Ils ne sont pas comme
nous », se disent les spectateurs. C'est exactement le même principe
que nous retrouvons dans *La fin du monde est à 7 heures* lorsque
Marc Labrèche fait le pont entre les téléspectateurs et les capsules
humoristiques détonantes de Bruno Blanchet ou de celles d'André
Sauvé dans *3600 secondes d'extase*.

Par moments, l'univers des Denis Drolet touche davantage au
surréalisme qu'à l'absurdité pure et dure, et ce par l'entremise de
personnages très stéréotypés, caractériels et non loin de la bande
dessinée. D'ailleurs, ils ne sont pas sans rappeler l'univers du
cinéaste italien Frederico Fellini et de ses personnages exubérants
qui font office de véritables caricatures vivantes :

> C'est qui le moustachu qui fait d'la magie ?
> C'est à qui le trisomique habillé en gris ?
> C'est qui l'brigadier qui mange du pouding ?
> C'est à qui le squelette avec un bas d'ligne ?[13]

Il n'y a rien de drôle, à première vue, dans une phrase tout
aussi plausible que « c'est qui le moustachu qui fait de la magie ? »
Une fois de plus, les Denis Drolet font appel à l'imaginaire des
gens. Tout le monde a, dans sa propre encyclopédie, l'image d'un
magicien moustachu ou d'un trisomique habillé en gris.
Connaissant l'univers ludique et enfantin de ces deux clowns, ces
référents paraissent alors inoffensifs et imprégnés d'une certaine
naïveté et, dans l'humour absurde moderne, la naïveté et les
moustaches font rire. S'inspirant beaucoup de la télévision et de la
publicité comme *Rock et belles oreilles* pouvait le faire dans les
années 1980, les humoristes de l'absurde vont souvent créer des
personnages à partir de gens stéréotypés que l'on retrouve dans
certaines annonces publicitaires, dans des magazines ou des
émissions pour enfants comme *Passe-Partout*. Ils vont chercher à
caricaturer leur « excès » de joie de vivre, leur « naïveté de bons
vivants », leur réaction d'étonnement et le fait qu'ils se prennent

---

13. Paroles de la pièce *Le bébé en cellophane*, Denis Drolet, 2002, album
    éponyme, Montréal, JKP musique.

parfois trop au sérieux. On a qu'à penser à la pochette du premier disque des Denis Drolet[14] où l'on voit Vincent Léonard en gros plan regardant au loin et arborant un sourire enfantin rempli «d'espoir et de naïveté».

> Quel personnage de *Passe-Partout* préférez-vous et pourquoi?
>
> a) Passe-Montagne
>
> b) Alakazoo
>
> c) Grand-papa Bi
>
> Les Denis Drolet: Passe-Montagne! On est en train de réécouter au complet la discographie de *Passe-Partout*. On connaît les chansons par cœur! Passe-Montagne, ç'a été notre grand frère, notre influence pour la drogue! Grand-papa Bi a d'ailleurs de très belles fesses![15]

Ainsi, l'image mentale précédente du moustachu qui fait de la magie nous apparaît comme dans un infopub des années 2000: un moustachu illuminé qui sourit, qui prend son métier à cœur, un bon «mononcle», mais qui n'a rien d'extravagant comme tel. Je ne suis pas en train de faire de l'humour absurde, car je crois bel et bien qu'il y a un lien entre les deux concepts. L'humour absurde des Denis redonne de la saveur à la banalité et à la simplicité en leur accordant une importance inhabituelle et se plaît à rire de ce qui n'est pas drôle *a priori*. Les humoristes absurdes Jean-Thomas Jobin et André Sauvé excellent d'ailleurs dans ce domaine. C'est cette accumulation de «choses banales» qui finit par devenir humoristique. L'humour des Denis n'agresse personne en particulier, mais il s'amuse indirectement à rire de certains gens stéréotypés qui ont moins de charisme ou qui possèdent une plus «petite personnalité», comme dans le refrain d'une de leur chanson: «Yé bon le petit jeune homme qui répare des appareils[16].» Je me rappelle que, dans les années 1990 au Québec, les métiers dits plus techniques ou manuels étaient moins populaires et la société valorisait davantage les profes-

---

14. Denis Drolet, 2002, *Les Denis Drolet*, Montréal, JKP musique.

15. Kathleen Lavoie, «Douze questions absurdes aux Denis Drolet», *Le Soleil*, 28 février 2004, http://lesoleil.cyberpresse.ca/journal/2004/02/28/arts_et_vie_banque_/00687_douze_questions_absurdes_aux_denis_drolet.php.

16. Denis Drolet, 2002, *Les Denis Drolet*, Montréal, JKP musique. Paroles de la pièce *Le p'tit jeune homme*.

sions intellectuelles. À l'époque du primaire et du secondaire, mes amis et moi nous moquions aussi, sans grande méchanceté, des concierges, mécaniciens, camionneurs, techniciens. C'est un peu cette ironie que nous retrouvons dans la pièce musicale des Denis. Que fait un brigadier qui mange du pouding dans une chanson humoristique? C'est justement la question qu'il faut se poser si l'on veut en rire. Voilà donc une des composantes primaires de l'humour absurde moderne: «la notion du non-rapport».

L'humour absurde des Denis Drolet: un humour mesquin?

L'humour absurde moderne recrée souvent son propre monde dans lequel il y a très peu de liens avec l'actualité, la réalité «extérieure» ou les célébrités publiques. Toutefois, lorsque des personnalités connues font partie intégrante d'une blague absurde moderne, ce n'est jamais dans le but de rire d'eux directement. Il s'agit plutôt de les transposer dans un monde imaginaire parallèle où leur simple présence combinée à l'image qu'ils représentent aux yeux des téléspectateurs n'a aucun lien sémantique avec le contexte dans lequel ils sont plongés. Le tout devient surréaliste, carrément absurde et peut mener au rire. Ces célébrités perdent momentanément leur identité réelle publique et la prêtent au jeu de la fiction. On peut penser à Ivan Joanes qui, lors d'un numéro des Denis Drolet au festival Juste pour rire 2004, vient démolir sa guitare acoustique sur la scène lorsqu'un des Denis s'exclame: «Il ne manquerait plus qu'Ivan Joanes vienne briser sa guitare sur la scène.» Pour le spectateur, les probabilités que ce chanteur détruise son instrument de musique sur la scène sont pratiquement nulles car ce dernier n'a pas ce genre de réputation dans les médias. Le «fantasme» se réalise et le rire se concrétise lorsque cette vedette un peu passée de mode se présente sur la scène et fracasse effectivement sa guitare.

Autre exemple tiré de la chanson *Oh yeah!*: «Francis Reddy c'est des ciseaux[17].» Certains ne verront aucune forme de comique

---

17. *Ibid.*, paroles de la pièce *Oh yeah!*

dans cette phrase et d'autres vont rire justement parce que le sens est illogique tout en demeurant intelligible. Francis Reddy est connu dans la télévision québécoise, donc il n'est pas logique de dire que Francis Reddy est une paire de ciseaux. Il n'y a pas de rapport entre les deux «objets», cela crée une certaine surprise, une déstabilisation et peut mener au rire. Tout repose alors sur la façon de le dire et de l'interpréter.

Ce qui devient intéressant, c'est de faire un lien entre chacune de ces célébrités qui sont incluses dans certaines blagues absurdes. Généralement, ce sont des personnalités connues du petit écran, parfois un peu dépassées, ne possédant pas nécessairement un très grand charisme et qui ne sont pas assez célèbres pour être «vénérées» au même titre que Jean Leloup ou Céline Dion par exemple. On peut penser à Gaston Lepage, Francis Reddy, Guy Mongrain, Réal Giguère, Tom Selleck, Emmanuel Hurtubise, Marcel Lebœuf et Yves Corbeil qui sont souvent la cible des humoristes de l'absurde du Québec. Même si aucune méchanceté n'est prononcée à leur égard, leur simple présence ou la mention de leur nom résume très bien l'intention : transposer dans un monde absurde le symbole qu'ils représentent.

Rire du passé démodé et de la génération précédente n'est pas un concept nouveau en soi en matière d'humour, mais c'est le traitement qu'en fait l'humour absurde moderne qui est «révolutionnaire». Par exemple, les Denis Drolet qui décident de vouer un culte exagéré à Yves Corbeil par un hommage musical à son effigie :

> J'voudrais être pareil
> Pareil comme Yves Corbeil
> Sa chevelure bouclée m'émerveille
> Je le vois dans mon sommeil
> J'me vois dans Yves Corbeil
> On se voit toute dans Yves Corbeil[18]

---

18. Paroles de la pièce *Yves Corbeil*, Denis Drolet, 2006, album 2D, Montréal, JKP musique.

Le rire provient justement du décalage entre le genre musical, le culte exagéré et la vraie personnalité d'Yves Corbeil qui ne forment qu'un. « Il n'y a pas de méchanceté ni d'ironie là-dedans, juste du rire au premier degré[19] ! », expliquent les Denis Drolet. Le principal intéressé en est d'ailleurs bien conscient car il a même accepté de prêter son image à la blague lors de sa participation au vidéoclip de la chanson.

On retrouve le même genre de concept humoristique avec l'affiche du spectacle de Jean-Thomas Jobin, *Soulever des Corneliu*, où l'on voit l'humoriste, vêtu d'un costume de cirque, tenir à bout de bras trois représentations du ténor de l'émission *Star académie 2004*. « Je me suis dit que ça serait drôle de soulever quelqu'un. J'ai pensé à des grands-papas, à Nanette, à Corneliu… et j'ai trouvé cette dernière image comique. Miraculeusement, Corneliu a accepté ! Il a trouvé ça drôle, il a compris que ce n'était pas méchant[20]. »

Les *Denis* sur scène : la psychologie des personnages

L'humour à sketch des Denis diffère quelque peu de celui en chanson et permet au spectateur d'apprécier davantage le jeu théâtral, les différences ainsi que la complémentarité entre les deux personnages. L'absurdité et le non-sens naissent de l'interaction entre les deux personnages et l'un ne pourrait exister sans l'autre. Malgré leurs caractères foncièrement différents, c'est un peu comme si les Denis Drolet ne formaient qu'un, mais représentaient à eux seuls les symptômes mêmes de la schizophrénie : une rupture de l'unité psychique, une dissociation de l'esprit qui provoque une perturbation du rapport au monde extérieur.

Schizophrénie : Psychose délirante chronique caractérisée par un autisme, une dissociation, un délire paranoïde et générant une perturbation du rapport au monde extérieur[21].

---

19. Nicolas Houle, « Le grand rire brun » (citation Vincent Léonard), *Le Soleil*, 6 juin 2003, p. B3.
20. Jessica Émond-Ferrat, « Du non-sens à l'absurde » (citation Jean-Thomas Jobin), *Métro*, 57 novembre 2010, p. 17.
21. *Larousse 2012*.

Ainsi, ils sont comme le yin et le yang, un couple qui réussit à atteindre l'équilibre dans l'absurde. Celui avec les «dents» représente le côté plus féminin du duo avec sa voix criarde aiguë ainsi que sa personnalité plus excentrique et émotive. «Le barbu», quant à lui, incarne le «grognard viril» qui réagit souvent d'une colère excessive contraire à la raison du spectateur, mais qui finit par faire rire. C'est le marabout auquel on s'attache. Lorsqu'il «surdramatise» une situation pour en laisser transparaître l'absurdité, il peut faire penser à certains personnages de l'univers d'Ionesco. L'émotion est crédible, mais elle détonne avec la nature de ce qui la provoque:

> – *On est content d'être ici ce soir, hein Denis?* (Les dents)
> – *Bah correct là…* (Le barbu)
> – *Comment ça correct?*
> – *Beh j'avais une game de curling moé à souère!*
> – *Beh tu peux pas faire du curling à souère on est en show ici à souère.*
> – (fâché) *Beh je le sais qu'on est en show, j'ai dû canceller! Toutes mes chums m'attendaient: mademoiselle Magie, Mr. Brick pis l'autre là, Georges Meilleur…*
> – *Bon là t'inventes ça là, Denis, on connaît pas de Georges Meilleur Christ! Je passe 24 heures sur 24 avec toi… me semble que je le saurais! Ha pis à part de ça tu joues même pas au curling…*
> – *Je le sais… bon tu vois comment que té?*[22]

Les conversations entre les deux Denis font quelquefois penser aux discussions entre Popa et Moman de *La Petite Vie* où le taux de violence verbale est très élevé et où la notion de dépendance se fait sentir. L'un essaie toujours de ramener l'autre à la raison lorsqu'il fabule, mais, ce qui devient drôle, c'est qu'il réussit sans cesse à le raisonner, mais d'une façon complètement irrationnelle et absurde aux yeux du public. La conversation est intelligible et l'on a vraiment l'impression qu'elle nous mène à une certaine logique, mais c'est l'accumulation des répliques absurdes sans réel rapport sémantique qui nourrit le dialogue d'une manière chaotique et le fait dériver dans un sens imprévisible pour le

---

22. *Au pays des Denis*, 2005, DVD du spectacle des Denis Drolet, réalisation Luc Sirois, Montréal JKP musique, 180 min.

spectateur. Cette forme d'humour apparaît alors comme plus spontanée. Tout l'humour des Denis Drolet est basé sur la confrontation des deux énergies que chacun de leur personnage incarne pour ainsi tendre vers « l'équilibre ». Mais qu'arrive-t-il quand ces deux énergies s'unissent ? Leur numéro populaire du « diamonologue », où ils parlent en même temps et disent exactement la même chose à un rythme infernal, et ce pendant près de 5 minutes, en dévoile la réponse. En voici un extrait écrit, mais la difficulté est toutefois plus appréciable lorsqu'ils le récitent eux-mêmes :

> Boooonnn ! Là on est rendu au boutte où est-ce qu'on parle en même temps. On sait pas trop pourquoi mais on parle en même temps ! Checkez ! Bla, bla bla bla, bla bla bla, ba bla bla, sur le même ton en même temps Sacraman ! Bah on a ben beau pas vouloir mais checkez, Belou belou en même temps, belou belou en même temps. Pis tu vois là c'est fini… Non c'est pas fini ! Pis c'est quoi cette osti de manie là de parler en même temps ? C'est ben achalant ! Ça c'est à cause d'un dénommé Fusée, Jonathan Fusée ! On l'a rencontré dans une soirée pis y nous a pogné par la nuque pis y nous a dit : « Parle en même temps ». Comment ce qu'on fait pour arrêter de parler en même temps ? Dites « pouvoir de glace »…[23]

Conclusion sur les Denis Drolet : d'humour brun à humour noir ?

En résumé, les Denis Drolet se plaisent à déconstruire les mécanismes de l'humour standard et à les réorganiser à leur façon. Ils font appel à la structure de base de l'humour traditionnel en amenant le spectateur sur une « fausse » piste. Puis, au moment où ce dernier s'attend à une phrase-choc, survient un élément déstabilisant que personne n'attendait et qui, à la limite, ne cadre pas dans une blague standard. La finale et le rire résident spécifiquement dans le fait que ce que l'on attendait ne se produit pas. Tel que mentionné précédemment, point de surprise sans une certaine attente. En voici un exemple :

---

23. Extrait de la pièce *Mes amis*, Denis Drolet, 2002, *Les Denis Drolet*, Montréal, JKP musique.

C'est une fois un Canadien, un Américain pis un Newfie qui s'en vont à la pêche. L'Américain dit : « Checkez-moé ben. » Y pitche sa ligne pis y pogne une truite, une belle truite, y était content. Le Canadien y dit : « Ben moi aussi je suis capable. » Y pitche sa ligne, lui il pêche un saumon, un beau saumon, aussi beau que la truite, les deux étaient contents. Le Newfie y dit : « Ha bien moi aussi je suis capable. » Y pitche sa ligne mais lui y pogne une petite fille morte[24]…

Bien qu'il soit foncièrement absurde, l'humour des Denis Drolet est parfois teinté d'humour noir. C'est d'ailleurs une couleur de leur humour qui commence à devenir de plus en plus présente dans leurs numéros. La chanson *Hip-di-hip*, tirée de leur album 2D (2006), illustre bien cette tendance où le paradoxe entre les paroles morbides et le refrain musicalement naïf et racoleur crée un décalage émotif déstabilisant qui peut mener au rire :

Quand tu deviens légume parce que t'as snifé trop de colle.
Quand un kamikaze explose dans ton école
Quand tu vas voir la game d'hockey de ton gars
Pis qu'c'est plus poche le plus laid pis plus gras

Quand c'est ta fête pis que ton père bat ta mère
Quand partout sur la terre il y a la guerre
Quand tes 2 filles s'font kidnapper en camping
Souris et chante ce petit refrain qui swing

(Refrain)
Hip di hip, hip hip hip hip
Hip di hop, hop hop hop hop
Hip di hip, hip hip hip sha la la la long[25]

En délaissant partiellement la « froideur » et le côté étrange de l'absurde cérébral pur et dur au profit d'un humour absurde plus noir, émotif et existentialiste, les Denis permettent à leur humour de se diversifier et d'atteindre un public plus large. Du moins, c'est ce qui semble se dégager de leur dernier spectacle, *Comme du*

---

24. *Au pays des Denis*, 2005, DVD du spectacle des Denis Drolet, réalisation Luc Sirois, Montréal, JKP musique, 180 min.
25. Paroles de la pièce *Hip-di-hip*, Denis Drolet, 2006, album 2D, Montréal, JKP musique.

monde, où l'envie de se fondre dans la masse devient le concept central du spectacle. Quoi qu'il en soit, leur philosophie reste la même : déstabiliser pour mieux surprendre.

Chapitre V

Jean-Thomas Jobin : soulever des choses « pas drôles »

B ien que je catégorise Jean-Thomas Jobin dans le bloc de l'humour absurde moderne cérébral de par son attaque à la raison et à la logique, son approche demeure différente, mais tout aussi originale. « Ma définition de l'humour absurde se résume en fait à l'idée de faire quelque chose d'insensé, à l'encontre des règles scéniques élémentaires, en mettant l'accent sur quelque chose de pas drôle du tout[1]. »

> Alors voici, à la demande aucunement générale, la blague qui a fait ma marque de commerce : c'est une fois un gars, je sais pas trop qui, qui est en quelque part, je sais pas trop où, pis qui fait je sais pas trop quoi, excusez, y me manque une couple d'informations pour que ce soit drôle[2]...

1. Jean-Thomas Jobin, cité par François Gariépy, « Sans bon sens », *Voir*, 17 juin 2004, http://www.voir.ca/artsdelascene/artsdelascene.aspx?il DArticle=31475.
2. Gala des Oliviers, 29 février 2004, gala qui récompense les humoristes de l'année, discours de Jean-Thomas Jobin, Montréal, TVA.

Brève biographie

Jean-Thomas Jobin est né à Sainte-Foy en 1975. Alors qu'il est en secondaire 5, il commence à se découvrir une passion pour l'écriture en soumettant des nouvelles absurdes au journal étudiant. Dès lors, c'est le début d'une grande aventure. En 1998-1999, il termine sa formation dans un collège de radio et télévision de Québec avant de participer, à l'été 1999, au concours de vidéo amateur « Vidéastes recherchés » où il remporte le prix du public. À la suite de cet exploit, il s'inscrit à l'École nationale de l'humour, ce qui le mènera à une tournée de 20 spectacles à travers le Québec, dont le festival Juste pour rire 2000. Pendant l'été 2000, il est engagé pour faire des chroniques très absurdes à CKMF lors d'une émission de retour à la maison. En 2001, conjointement avec ses nouveaux alliés, les Denis Drolet, il monte le *Show absurde* qui connaîtra un grand succès et qui l'aidera à mettre la main sur le prestigieux prix de la relève. Par la suite, il va connaître ses balbutiements à la télévision en présentant certains numéros humoristiques au *Cabaret de l'humour* à TQS et en interprétant des seconds rôles dans les séries *Catherine* et *Le Plateau* à Radio-Canada. À l'été 2002, il revient à la charge une fois de plus avec les Denis Drolet dans la coécriture du *Show absurde 2* présenté au studio Juste pour rire et connaît tout autant de succès. C'est en février 2003 que la popularité de Jean-Thomas Jobin s'accentue grâce à son passage à l'émission *Le Grand Blond avec un show sournois* à TVA en tant que « vulgarisateur des choses simples » au Club Labrèche. Ensuite, on le voit comme chroniqueur à l'émission *Fun noir* (TQS) et à *Une émission couleur* de Radio-Canada en 2004. À l'automne 2005, il a présenté son premier spectacle solo avant de revenir en 2010 avec l'intrigant *Soulever des Corneliu*. Depuis, il joue et écrit des capsules humoristiques pour sa Web-série *Père poule* et il collabore avec Simon-Olivier Fecteau à la réalisation de petits vidéos humoristiques sur *YouTube*.

Jean-Thomas, le cérébral stoïque

Jean-Thomas Jobin étant en constante ascension dans le milieu humoristique au Québec depuis sa sortie de l'École nationale de l'humour en 2000, il est difficile de passer à côté de son univers singulier lorsque nous traitons d'absurde moderne. Ce sympathique pince-sans-rire a su développer un style bien particulier, parfois difficile à décrire ou à catégoriser pour certains. Il aime jouer avec le code humoristique, et je dirais qu'il navigue et offre un heureux mélange entre l'absurde, le non-sens et l'anti-humour. D'ailleurs, lors de l'entrevue que j'ai réalisée avec lui le 20 juillet 2005, il ne se cachait pas pour dire qu'il adore l'humour des Monty Python, de Woody Allen, de Jerry Seinfeld et de Marc Labrèche. Il se plaît à redonner de la saveur à la banalité et à la normalité, tout en courtisant l'art de rendre le simple compliqué. Il l'explique lui-même : « Par exemple, mon numéro sur les restaurants. Eh bien, je m'applique à expliquer aux gens ce qu'est un restaurant, dans les moindres détails, comme si personne dans la salle n'avait une idée de ce que c'est[3]. »

Bref, pour bien comprendre l'humour ou plutôt « l'anti-humour » de Jean-Thomas Jobin, il faut d'abord en consommer « et se laisser aller » pour l'apprécier. Voici un extrait qui démontre le talent de ce vulgarisateur des choses simples tiré d'une de ses chroniques du célèbre Club Labrèche de l'émission *Le Grand Blond avec un show sournois*, diffusée en février 2003 à TVA :

> Donc ce soir, je vais vous expliquer ce qu'est une fête, si vous me le permettez. Oui, bon parfait. Une fête, c'est un anniversaire. Alors là est-ce que vous saisissez un peu le topo ? Alors ça commence bien. C'est une… [mot incompris] dans le fond, la farce a assez duré. Comme on dit, il y a toujours bien un « boutte ». Câline de bines de bonnes bines. Pour qu'une fête soit considérée comme une fête, il faut qu'il y ait un ou des fêtés et des fêtards. Parce que, si y'a rien de tout ça, que vous êtes seul chez vous à regarder les Poupées russes supposons, ça s'appelle pas une fête, c'est plus une petite soirée tranquille à regarder la télé. Bon, quand c'est la fête de quelqu'un qu'on connaît, c'est bien vu de lui souhaiter bonne fête, mais ça peut arriver qu'on lui bafouille genre « bonne fûte »… Si ça arrive par contre corrigez-vous tout de suite : Ah pas bonne fûte, bonne fête, pardon. Là tout va rentrer dans l'ordre et ça va devenir entre vous

---

3. *Ibid.*

une anecdote savoureuse genre : «Te rappelles-tu la fois où tu m'avais souhaité bonne fûte[4] ? »

Ce qui devient drôle, c'est la longueur exagérée de l'explication, comme si nous étions des attardés mentaux qui n'avaient pas compris un concept déjà fort simple. En tant qu'humoriste de l'absurde, Jean-Thomas joue aussi sur la notion de temporalité dans ses blagues, mais sous un autre angle. À défaut d'avoir des longueurs inutiles parsemées de silences, comme certains de ses compères, il fait de l'anti-humour en faisant le contraire et en accordant une «sur-importance» à des choses qui ne devraient pas en avoir autant. Il étire son discours un peu comme pourrait le faire un politicien qui parle pour ne rien dire afin de contourner une question ou simplement meubler une conversation. Qu'y a-t-il de pire que le silence pour un politicien ? Même si ce n'est pas le but ouvertement recherché, l'humour absurde de Jean-Thomas serait-il une façon inconsciente de critiquer la rhétorique nébuleuse de nos politiciens et la lenteur bureaucratique ? Bref, c'est un discours humoristique qui n'a pas de 2e degré en soi et dont le rire découle du fait qu'il n'y a pas de phrase-choc et le tout prend forme dans le ton naturel et calme employé par Jean-Thomas. Si l'on se fie aux mécanismes de ce style, pas étonnant de voir que ce dernier a souvent travaillé et participé à certains sketchs des Denis Drolet. Tel un enfant, il a cette capacité de s'attarder et de s'émerveiller à nouveau devant des choses simples. C'est un côté très humain qui caractérise une bonne partie des humoristes de l'absurde de cette génération.

Jean-Thomas et le «pas rapport»

S'il joue sur la temporalité en exagérant la longueur de ses explications, il fait aussi partie du club des absurdes modernes en faisant des liens entre des concepts qui n'ont aucun rapport entre eux. L'affiche de son deuxième spectacle où on le voit soulever 3 Corneliu en habit d'haltérophile de cirque en témoigne.

---

4. *Le Grand Blond avec un show sournois*, 25 mars 2003, émission de variétés, Montréal, TVA.

Toutefois, le traitement qu'il en fait diffère quelque peu des autres. La phrase-choc ne se retrouve pas toujours dans le non-lien entre les deux concepts en soi, mais au-delà du «ça n'a pas rapport», renouvelant ainsi l'effet de surprise avec lequel les adeptes se familiarisent quelque peu. L'extrait suivant tiré du gala des Oliviers 2003 en donne un exemple:

> Bon, avant de continuer j'aurais peut-être une anecdote personnelle à vous raconter en rapport avec les Oliviers mais si pendant que j'vous la raconte vous vous rendez compte que ça n'a aucun rapport avec les Oliviers vous protesterez ok? L'autre jour, je jouais au hockey pis j'me suis fait mal, pourquoi vous avez pas protesté ça avait aucun rapport avec les Oliviers[5].

Cette fois-ci, à défaut d'étirer la temporalité, c'est l'enchaînement trop rapide de la phrase «pourquoi vous n'avez pas protesté» qui crée une distorsion cognitive et qui fait rire. Ou encore cet exemple qui amène le spectateur vers une fausse piste afin de mieux le surprendre au moyen d'une logique tordue:

> À ce propos, il y a des gens qui me surnomment le vulgarisateur ou y'a des gens qui me surnomment le grand éclaircisseur pis y'a des gens qui me surnomment «ouch!», mais eux autres faut dire qu'en même temps ils se donnent un coup de marteau sur le doigt[6]...

Tel que je l'ai mentionné précédemment, l'humour absurde moderne cherche très peu à déplaire ou à dire du mal de quelqu'un. C'est plutôt un humour «naïf», gentil et inoffensif qui n'attaque pas vraiment, mais qui se donne parfois l'illusion d'être méchant en s'en prenant à une minorité très précise. L'exemple suivant de Jean-Thomas est flagrant:

> Souvent, dans une remise de prix comme ce soir, y'a une tête de turc de pris à parti, mais c'est important d'en prendre un qui est dans la salle, exemple ce serait pas super payant ce soir si j'me mettais à me moquer du gars qui avait comme mandat de mélanger les lettres dans charivari... Yé sûrement pas là donc ça tomberait sûrement à

---

5. Gala des Oliviers, 29 février 2004, gala qui récompense les humoristes de l'année, discours de Jean-Thomas Jobin, Montréal, TVA.
6. *Ibid.*

plat si j'disais quelque chose comme « ouin, ben ça devait pas toujours être facile à mélanger ces lettres-là[7] ».

Évoluer dans l'absurde

Avec ce type d'humour, la grande question que se posent les gens au sujet d'artistes comme Jean-Thomas Jobin ou les Denis Drolet est celle-ci : « Est-ce qu'il est possible de se renouveler et d'évoluer dans un style aussi précis ? » À cette question, je réponds oui. En arrivant justement à faire beaucoup à partir de peu et à s'émerveiller devant des choses simples, je ne vois pas comment les humoristes de l'absurde moderne avec leur imagination débordante ne seraient pas capables de se renouveler. Jean-Thomas le confirme lui-même :

> Quand on fait de l'absurde, ça peut être dangereux de toujours tomber dans les mêmes *patterns*. [...] J'ai évolué depuis mes débuts. Je crois pouvoir dire que je suis passé du non-sens à l'absurde, c'est-à-dire que je me fie davantage à la logique que quand j'ai commencé à faire de l'humour. [...] mais c'est bien, sans se dénaturer, de pouvoir explorer différentes avenues dans son type d'humour[8].

Jean-Thomas, l'humain

Bien que Jean-Thomas Jobin soit difficile à cerner par moments, si l'on s'attarde plus en détails à l'homme derrière le personnage, on s'aperçoit qu'il représente bien le portrait « typique » de l'humoriste absurde moderne : gentil, sensible, un peu dans sa bulle, etc. Il n'est donc pas étonnant de voir que certains traits caractériels et des valeurs personnelles se transposent plus ou moins consciemment dans son style d'humour : vivre le moment présent, naturel, hédonisme, humour gentil, naïf, enfantin, humain psychoaffectif, non politisé.

---

7. *Ibid.*
8. Jean-Thomas Jobin, cité par Jessica Émond-Ferrat, « Du non-sens à l'absurde », *Métro*, 57 novembre 2010, p. 17.

Une entrevue accordée à Valérie Lesage en 2004 permet de dresser d'une façon un peu plus concrète les traits de caractères de Jean-Thomas Jobin à travers certaines questions qui rejoignent certains points de mes réflexions. Voici donc un extrait de l'entrevue où j'ai conservé les questions qui me paraissaient les plus intéressantes et auxquelles Jean-Thomas devait se répondre par « pour ou contre. » Entre chacune de ces questions, je vais me permettre d'ajouter quelques commentaires :

Mettre le maximum de fric dans ses REER

Contre. J'ai de la misère à voir à long terme dans la vie. Je sais que ce n'est pas sage parce qu'on ne sait jamais ce qu'il va advenir de notre vie, mais je ne suis pas capable de voir à long terme. Cela dit, par l'entremise de l'UDA [Union des artistes], ils m'y obligent. Ils prennent un pourcentage de mon salaire et ils le placent dans un REER, alors, même si je suis contre, je participe au REER. Mais c'est une bonne chose[9].

Vivre le moment présent et savoir en profiter au maximum sans trop penser au futur peut sembler « immature » pour certains, mais cette philosophie représente une bonne partie de la mentalité des 40 ans et moins. Les humoristes n'en sont que le reflet et c'est pourquoi leur humour en est fortement imprégné et emprunte un ton plus naturel, décontracté, spontané qui correspond au courant de pensée actuel. Subtilement, on remarque aussi, dans la réponse de Jean-Thomas, une certaine ambivalence et une difficulté à trancher pour prendre position. De nos jours, les gens croient qu'il y a du bon et du mauvais dans chaque chose et cette analyse peut sembler poussée un peu, mais faire des choix, s'engager ou prendre position est devenu plus difficile, car cela vient « fermer » des horizons envisageables et ainsi « brimer » nos libertés personnelles. Il n'est pas étonnant de voir qu'autant de célibataires ont de la difficulté à s'engager avec une personne, car ils ont l'impression de se « fermer » à certaines possibilités. L'humour absurde moderne

---

9.   Valérie Lesage, « Un saut dans l'absurde avec Jean-Thomas Jobin », *Le Soleil*, 14 juin 2004, http://lesoleil.cyberpresse.ca/journal/2004/06/14/arts_et_vie_banque_/01505_un_saut_dans_l_absurde_avec_jean_thomas_jobin. php.

est donc représentatif de cette philosophie, car il cherche à «élargir» constamment sa propre liberté au gré de ses désirs, et ce sans l'angoisse de faire un choix définitif. La réponse à la question suivante va dans le même ordre d'idées :

Le port de l'uniforme à l'école

Je dirais pour. Je l'ai porté au primaire et ça fait en sorte que les jeunes sont au même niveau et que ceux qui peuvent être plus sujets aux railleries peuvent s'en sortir mieux quand tout le monde a le même look. En même temps, les vêtements sont une bonne façon d'exprimer sa personnalité. Finalement, je viens d'annuler mon argument pour ! Alors, je dirais que les deux sont bons, je ne suis pas capable de trancher.

– *Chicken* !

– Oui, j'avoue, c'est *chicken* ! Mais je vais dire pour. Parce que je ne veux pas me faire traiter de *chicken* ![10]

Le naturisme

Je suis pour parce que c'est beau, l'humain. Ça, c'est une bonne réplique, non ? C'est la réponse dont je suis le plus fier depuis que je fais des entrevues ![11]

«C'est beau l'humain.» Voilà une phrase qu'auraient pu affirmer Daniel Grenier des Chick'n Swell, Bruno Blanchet ou encore Patrick Groulx et qui représente bien, de près ou de loin, le centre d'intérêt de l'humour absurde : l'humain. Au-delà de l'individualisme, c'est la nature humaine à sa plus simple expression qui prime et qui retrouve sa «naïveté» d'antan. D'ailleurs, est-ce une coïncidence si, dans son deuxième spectacle solo, Jean-Thomas délaisse quelque peu le côté cérébral de son humour au profit d'une plus grande transparence émotive ? «Mon personnage s'humanise et je fais moins dans le non-sens. On a davantage accès à qui est Jean-Thomas Jobin, le vrai gars[12].» De plus, l'humoriste

---

10. *Ibid.*
11. *Ibid.*
12. Jean-Thomas Jobin, cité par Jessica Émond-Ferrat, «Du non-sens à l'absurde», *Métro*, 57 novembre 2010, p. 17.

absurde est parfois «utopique» et n'aime pas la guerre et les chicanes inutiles. Il voue respect et tolérance aux gens qui l'entourent et ne cherche jamais vraiment la méchanceté. Francis Cloutier des Chick'n Swell le confirme: «On ne s'intéresse pas vraiment à la politique ou à la religion. On s'éloigne des sujets de chicane. On s'amuse sur scène[13].»

La centrale thermique du Suroît

Je peux pas dire pour ou contre, c'est trop quelque chose qui est loin de moi, je ne connais pas ce sujet-là. Depuis quelque temps, je suis tellement déconnecté de l'information que je ne sais même pas c'est quoi ce débat-là[14].

Il serait trop facile de dire que les artisans de l'humour, et particulièrement ceux de l'absurde, ne sont pas engagés politiquement ou sont déconnectés de la vie sociale. Au fond, ne représentent-ils pas aussi cette indifférence ou cette saturation que nous avons face à la politique et aux enjeux sociaux? Nous sommes centrés sur nous-mêmes et nos préoccupations personnelles, ce qui concerne l'autre ou le public est d'ordre secondaire. Je ne suis pas en train de dire ce qui est bien ou mal, il s'agit simplement d'un constat. Avec l'arrivée de Jean Charest au pouvoir en 2003 et l'accumulation de ses bévues, le conflit étudiant et ses répercussions sociales, le gaz de schiste ainsi que la montée de la droite au gouvernement fédéral, la population québécoise se conscientise un peu plus car elle commence à être «dérangée». Si les gens réagissent, les humoristes le feront aussi, car ils demeurent depuis toujours le reflet d'une société.

Pour conclure avec Jean-Thomas l'humain, je trouve pertinent d'inclure la petite analyse pas du tout scientifique que fait la journaliste Valérie Lesage de l'humoriste en question à la suite de

---

13. Kathleen Lavoie, «L'ordre dans le désordre: Chick'n Swell, un trio drôle et un drôle de trio». *Le Soleil* (Québec), 21 mars 2000, p. C5.
14. Valérie Lesage, «Un saut dans l'absurde avec Jean-Thomas Jobin», *Le Soleil*, 14 juin 2004, http://lesoleil.cyberpresse.ca/journal/2004/06/14/arts_et_vie_banque_/01505_un_saut_dans_l_absurde_avec_jean_thomas_jobin.php.

ses réponses à l'entrevue. Ses réflexions recoupent et appuient en quelque sorte mes propos précédents.

> Pas dangereux de parler de religion, ni même de politique avec lui, il préférera sûrement vous écouter ou se mettre de votre côté pour éviter une prise de bec. Il s'agit d'un gentil fiston, un être inoffensif et aussi un amoureux des bêtes, plutôt déconnecté de la société des hommes[15].

Conclusion du bloc I

Ainsi, l'absurde métaphysique, le non-sens et l'anti-humour que je regroupe sous la bannière de l'humour absurde moderne cérébral est à mon sens le type d'humour où le degré d'absurde est le plus élevé en matière d'irrationalité et il demeure probablement le moins accessible. Malgré leur succès considérable, Bruno Blanchet, les Denis Drolet et Jean-Thomas Jobin restent «marginaux» aux yeux de certains et rejoignent un public bien précis. Sans être nécessairement rendu au chapitre consacré à l'analyse comme telle, je me permets toutefois ceci: est-ce que cette branche de l'absurde moderne qui s'attaque à la raison, à la logique et au bon sens, bien qu'elle donne l'illusion d'être inoffensive, ne serait pas, en quelque sorte, une manière de contester des valeurs très contemporaines? N'exerce-t-elle pas un contrepoids à une société performante où tout est trop logique, sensé, ordonné, calculé et raisonnable? En poussant encore plus loin, serait-ce un désir inconscient de vouloir traduire les lois physiques du chaos dans la société en remuant l'ordre pour créer de la vie et se rapprocher du vrai? «Je mélange le hasard[16].»

Que faire du côté émotif dans tout ça? Les Chick'n Swell, avec leur humour absurde moderne psychoaffectif, vont tenter de nous éclairer à ce sujet dans le prochain chapitre.

---

15. *Ibid.*
16. *Au pays des Denis*, 2005, DVD du spectacle des Denis Drolet, réalisation Luc Sirois, Montréal, JKP musique, 180 min.

Bloc 2

L'humour absurde moderne psychoaffectif : la cible, c'est l'émotion

F élicitations! Si vous êtes en train de lire ceci c'est que vous êtes rendu au bloc 2. Comment on se sent? Trève d'absurdités, le présent bloc sera consacré à l'analyse de la deuxième grande catégorie d'humour absurde moderne : l'absurde moderne psychoaffectif. Sur le schéma de la classification des types d'humour (voir figure 2.2), c'est celui qui se positionne entre l'humour existentiel et l'humour métaphysique car il est à la fois influencé par l'absurde classique et l'humour noir dans la nature de ses thèmes comme la mort, la maladie et les échecs amoureux. Bref, ce type d'humour absurde fait appel au drame et à la tragédie pour rejoindre l'émotion. Une émotion ressentie qui est souvent irrationnelle par rapport à la situation vécue et c'est ce qui devient drôle. Au Québec, je considère que c'est le groupe les Chick'n Swell qui incarne le mieux les mécanismes et la philosophie de cette branche de l'absurde moderne. Qui sont-ils? Qu'est-ce que leur humour absurde psychoaffectif cherche à exprimer?

> *L'humour absurde a-t-il un sens?* (Francis Cloutier) Oui! Il y a de l'humour absurde qui déforme la réalité et un autre type d'humour absurde où il n'y a pas de sens. Mais le nôtre, je crois que c'est plutôt celui qui déforme la réalité[1].

---

1. Société Radio-Canada, archives, 5 mai 2003, en ligne, clavardage avec Francis Cloutier, http://www.radiocanada.ca/television/dossier_mag/chat/transcriptions/cloutier_f.shtml.

Chapitre VI

Les Chick'n Swell : le drame avec un nez de clown

Quoi ? J'ai une banane dans l'oreille et une mouette dans l'œil ? Je suis pris dans un film d'horreur où un vulgaire steak haché veut me faire la peau ? Je fais partie d'une escouade qui veut éliminer la lettre B, un voleur se fait prendre aux insolences d'une banque, toutes les filles de la ville s'appellent Julie, ma mère veut divorcer de moi et ma sœur sort avec le diable ? Je rêve ? Non, je crois plutôt être dans l'univers loufoque des Chick'n Swell où sketchs drôles et surréalistes s'entremêlent à des histoires absurdes qui font appel à des gags sonores, visuels et des situations cocasses dignes de la bande dessinée. Formé à Victoriaville et fier représentant de cette ville à travers ses petits films, le trio a d'abord attiré l'attention sur lui en 1999 avec le spectacle *Aux frontières de l'absurde* pour ensuite se faire connaître davantage du grand public grâce à ses trois saisons télévisées à Radio-Canada de 2001 à 2003 avant de faire un retour sur scène et de concrétiser son talent en rapportant le prix du meilleur spectacle en 2007. Les Chick'n Swell font donc aussi partie de cette nouvelle génération d'humour absurde avec un style très visuel qui s'inspire fortement de la culture et du langage cinématographiques. S'inscrivant dans la lignée de l'humour britannique des Monthy Python, de Woody Allen, de celui plus « bédéiste » des *Simpsons* et de l'influence québécoise de Rock et belles oreilles, les Chick'n Swell redonnent de la fraîcheur au médium télévisuel et à la scène en s'amusant à en déconstruire leurs composantes : la musique, les ellipses de temps, l'esthétique visuel et sonore, l'arrière du décor en passant par la valeur des plans et le rythme. Scénaristes, acteurs et réalisateurs de leurs propres sketchs, ils abordent des termes qui tournent fréquemment autour de sujets profonds comme la mort, la maladie et l'amour. Toutefois, c'est véritablement la façon de traiter ces sujets qui caractérise leur style et leur mission : faire du drame avec un nez de clown et avec le plus petit budget possible ! En bon Québécois, ils aiment en « beurrer épais » pour faire ressurgir l'absurdité de la situation, ce qui rappelle quelque peu l'humour de Claude Meunier. Leur cible étant l'émotion, leur humour est donc implicitement très « humain ». Bref, il s'agit d'un humour absurde parfois drôle, parfois « désespéré », toujours décapant et avec une bonne dose d'intelligence émotionnelle où l'authenticité est palpable.

La petite histoire des Chick'n Swell

Tout commence le 6 juin 1990 à Victoriaville, lorsque Francis Cloutier, Daniel Grenier et deux autres comparses, voulant se payer une limousine pour leur bal de finissant du secondaire, décident de monter un spectacle d'humour à leur polyvalente. Un humour qualifié de très improvisé, visuel et inspiré du monde cinématographique. Devant une salle pleine à craquer et un public comblé, ils vont offrir quatre spectacles qui s'avéreront le début d'une grande aventure. Entre 1990 et 1994, Francis et Daniel vont partager leur temps entre la recherche de petits gagne-pains, leurs études et la participation à de petits concours d'humour. Après un premier refus, c'est véritablement en 1995 que le duo fait son entrée à l'École nationale de l'humour, où ils feront la rencontre de Ghyslain Dufresne, leur comparse des débuts, qui les quittera momentanément avant de faire un retour avec eux en 2006. En 1996, après avoir obtenu leur diplôme, et jusqu'en 2000, c'est sur la scène que le duo va se faire connaître lors d'une tournée des bars et des petites salles de spectacles jusqu'au gala Juste pour rire. Entretemps, en 1998, ils sont invités à animer la deuxième saison des soirées d'humour du bar L'Évasion à Victoriaville. Ils décident d'agrémenter les transitions entre les invités avec des petits films de leur cru. Avec une caméra offerte par la mère de Daniel, ils mettent au point vingt scénarios et c'est leur ami Simon-Olivier Fecteau qui sera appelé à la rescousse pour la réalisation des films. Toute l'équipe met la main à la pâte. Prise de son, montage, recherche de costumes, décors et lieux de tournage, le tout fait avec un budget moyen de 56,95 $ par film. En peu de temps, les amateurs se passent le mot et la recette connaît un vif succès, à un point tel que les trois décident d'aller déposer une cassette comprenant les dix premiers films de la série sur le bureau de la directrice de l'École nationale de l'humour, Louise Richer. C'est alors que tout déboule. Emballée, Louise Richer la fait visionner à Guy A. Lepage qui la fait voir à Jean Bissonnette, qui est conquis à son tour. Le projet se rend jusqu'au directeur des programmes de Radio-Canada, Daniel Gourd, qui prend la décision audacieuse de vouloir les diffuser et ainsi de permettre à la chaîne de présenter de l'absurde moderne. C'est la compagnie de production Avanti et l'ange gardien des Chick'n Swell, Guy A. Lepage, qui vont se charger de donner naissance à l'émission à sketchs aux allures amatrices et qui détonnent, avouons-le, avec le style « radio-canadien » habituel.

Après le franc succès de l'émission qui donne un véritable envol au groupe, le trio se lance dans des projets musicaux où ils vont gagner coup sur coup l'Olivier et le Félix de l'album humoristique de l'année en 2006. C'est au cours de la même année que Simon-Olivier Fecteau quitte les Chick'n Swell pour se consacrer à ses projets plus cinématographiques. Ghyslain Dufresne refait surface pour prendre le poste vacant et le groupe décide de renouer en grand avec la scène. La critique leur est très favorable, si bien qu'ils remportent le prix du meilleur spectacle en 2007 et qu'on leur confie ensuite pendant trois années consécutives l'animation du gala des Oliviers à Radio-Canada.

Chick'n Swell : l'ère télévisuelle (2001-2003)

« Nous sommes les Chick'n Swell et nous faisons des films… avec Simon ! » Le concept est fort simple, mais particulièrement efficace. Pas d'animateur, pas d'enregistrement en studio avec spectateurs, seulement trois personnes qui font une série de petits films humoristiques rafraîchissants tournés avec une simple caméra, peu de moyens et beaucoup d'imagination. Comme il n'y a pas de lien direct entre chacun des sketchs qui assure la continuité à l'intérieur d'un même épisode, ce sont les intertextes autoréférentiels qui offrent des rappels de lieux, de personnages ou de situations exploitées dans les films précédents. C'est cette capacité à relier ces petits films, souvent très différents, et ce d'une façon originale et inattendue, qui fait la force des Chick'n Swell. De plus, à l'image des *Simpsons* et de *South Park*, ils développent carrément une communauté parallèle où l'on retrouve des personnages toujours incarnés par les trois acteurs, comme la police, le lecteur de nouvelles, son reporter, le médecin, le barman, le psychologue et bien d'autres qui finissent par devenir familiers. Lorsque nous replaçons les Chick'n Swell dans leur contexte culturel, il est plus facile de comprendre le type d'humour qui en émerge. Dans un univers télévisuel où l'on nous repasse sans cesse des images de perfection, d'exploits et de réussite, il est normal que cela puisse finir par « tomber sur les nerfs » de certaines personnes. C'est pourquoi, depuis quelques années, certaines émissions vont à l'encontre de ces valeurs et proposent une culture du rudimentaire, du bas de gamme. Je pense à des émissions américaines telles que *South Park*, *Beavus and Butt Head*, *Jackass* et, plus près de nous, *N'ajustez pas votre sécheuse*, *Dolloraclip* et les *Chick'n Swell*. Avec ce genre télévisuel, c'est drôle parce que l'habillage visuel est « mauvais » et donne l'impression d'être « amateur ». Cependant, le côté amateur n'entrave en rien l'originalité du contenu, car il est possible aujourd'hui de faire des produits de qualité avec peu de moyens.

Les mécanismes de l'humour absurde des Chick'n Swell

L'humour absurde des Chick'n Swell se différencie quelque peu de celui de leurs compères, dans le sens où il dissimule parfois une certaine profondeur « humaine » et est souvent qualifié de plus « intelligent ». Leur style d'humour ne joue pas autant avec le langage et les mots que pourrait le faire celui des Denis Drolet, mais il repose plutôt sur la forme de la communication comme telle: intonation, langage corporel, émotion, jeu d'acteur, le tout appuyé par les composantes du langage cinématographique. On retrouve aussi dans leur humour les fondements de l'absurde moderne, ce qui me permet de les classer dans cette catégorie: la notion de «non-rapport», les longueurs et les qualificatifs inutiles, les fausses corrélations, l'imprégnation du ludisme naïf de la génération *Passe-Partout*, l'univers fantastique, l'hyper valorisation du banal, les décrochages et jouer «faux».

Avec leur genre télévisuel qui se veut presque un «classique» en matière d'humour absurde moderne, le contexte devient drôle parce que c'est «mauvais» et «sans but». Les plans fixes et volontairement trop longs, où l'on voit une personne qui fixe la caméra sans que rien d'extraordinaire ne se passe, créent un certain malaise chez le spectateur qui se dit: «Ce n'est pas normal, il va se passer quelque chose de drôle.» C'est une autre façon de surprendre, comme dans le gag suivant:

> Présentateur: *Voici les aventures du gars qui a la même voix que Pierre-Luc! Le gars qui a la même voix que Pierre-Luc!*
>
> Dans un restaurant.
>
> Serveur: *Alors, vous avez choisi, monsieur?*
>
> Le gars qui a la même voix que Pierre-Luc: *Oui, bin je vais prendre juste un café.*
>
> Serveur: *Ah! Bin vous avez la même voix que Pierre-Luc!*
>
> Le gars qui a la même voix que Pierre-Luc: *Ah! C'pas la première fois qu'on me le dit!*
>
> Présentateur: *C'étaient les aventures du gars qui a la même voix que Pierre-Luc*[1].

En se basant uniquement sur le dialogue écrit, il peut être difficile pour certains de percevoir le côté humoristique de l'énoncé précédent. La blague se retrouve davantage au niveau de la réalisation et de la forme. Le gag repose sur le ton «aucunement sincère» et le jeu non crédible de l'acteur «faux» qui devient complice du spectateur. Il se dit: «Je suis dans le film, je fais

---

1. Chick'n Swell, 2005, *Chick'n Swell: série 2*, série télévisée. Texte des Chick'n Swell: Daniel Grenier, Simon-Olivier Fecteau et Francis Cloutier, Montréal, DVD Zone 1, 330 min.

semblant d'être surpris car je suis conscient que je joue faux et qu'en réalité, si la situation se présentait dans la vraie vie, il n'y aurait pas de prétexte à rire.» Le comique surgit de l'exagération du jeu par rapport à la nature de la situation complètement banale. On calque la naïveté des personnages que l'on retrouve dans la publicité et l'on rejoint encore une fois la composante du «ça n'a pas rapport» très exploitée par d'autres humoristes de l'absurde moderne.

Les Chick'n Swell à la télé: une combinaison de trois styles

À l'intérieur du trio A incluant Simon-Olivier Fecteau, les forces et les styles de chacun varient et se complètent à la fois à merveille. Un peu comme les membres de Rock et belles oreilles où chacun avait sa spécialité et son propre genre. On ne peut nier la présence de Guy A. Lepage dans l'entourage des Chick'n Swell, à qui j'attribue l'idée des trois chandails de couleurs différentes pour démontrer d'une façon simple l'unicité de chacun des membres du groupe. Un peu comme il l'avait fait lui-même à l'époque de RBO en faisant appel à un chandail attribuant une lettre différente à chacun.

Le chandail jaune: Daniel Grenier

Surnommé «l'émotif» lors de la troisième saison de leur émission, Daniel Grenier est le plus expressif et poétique des trois. Auteur-compositeur-interprète du thème d'ouverture, ses sketchs démontrent une belle naïveté face à la vie. Il aime faire ressortir la beauté des choses banales qui nous entourent. On a l'impression de retourner dans l'imaginaire d'un petit garçon de 6 ans fort attachant. Avez-vous déjà pensé ressentir une émotion en voyant une banane géante pourrir sous vos yeux? Peut-être qu'en y ajoutant du drame dans l'intensité des acteurs et la *Sonate à la lune* de Beethoven en arrière-plan sonore faciliterait le tout? C'est exactement ce qui passe dans cet univers. Habituellement, l'humoriste joue le clown pour ne pas montrer ses vrais sentiments, mais, avec les Chick, l'ambiance mélodramatique exagérée qui devient presque kitsch permet justement aux sentiments de pouvoir être véhiculés sans malaise. L'émotion ressentie est vraie, mais la raison qui nous mène à cet état est absurde. Elle constitue donc un élément de la blague comme tel car il y a un décalage entre ce qui la provoque et l'intensité de celle-ci. Bref, pour générer de l'absurde psychoaffectif, il s'agit de mettre de la tragédie là où il n'y en a pas normalement.

Daniel est l'archétype du bon gars et ses thèmes principaux touchent souvent à l'amour, l'amitié, la mort, la maladie et le bonheur à travers un traitement à la fois absurde et poétique, à cheval entre le tragique d'Ionesco et le côté ludique léger de *Passe-Partout*. Voici quelques résumés de petits films qui représentent bien l'imaginaire de Daniel:

- Ronald tombe endormi dans un fossé en comptant des moutons dans un champ, les moutons prennent conscience de leur pouvoir et décident d'envahir la ville.

- Un homme se moque de la Mort… jusqu'à ce que la Mort en personne décide de se venger!

- L'ex d'une fille devient le meilleur ami de son nouveau chum et ceux-ci vont jusqu'à se faire des tresses et dormir dans le même lit.

- Lors d'une séance de thérapie, un homme angoissé laisse aller sa colère sur une mascotte, mais les choses tournent mal et la mascotte décide de se venger de l'homme en question à la sortie de sa thérapie[2].

Le chandail bleu: Francis Cloutier

Francis Cloutier est le spécialiste de l'absurde, de l'illogisme, de la déconstruction du réel et c'est celui qui va toujours ajouter le petit grain de sel fantaisiste à la limite de la science-fiction. Amateur de films de série B, il aime bien le côté drolatique des effets spéciaux bon marché et les contraintes matérielles ne sont pas un frein à son imagination. Un humain se fait enlever par un

---

2. *Ibid.*

extra-terrestre? Pas de problème, un masque de monstre acheté au magasin à un dollar et une soucoupe miniature en carton avec des ficelles vont faire l'affaire. Francis Cloutier est rarement «sérieux» dans ses personnages et excelle dans l'art de jouer explicitement «faux». Toutefois, il est difficile de battre un Richard Z. Sirois dans cette catégorie! Le spectateur accepte ce léger petit «défaut» car la blague repose généralement sur ce principe. Grand amateur des *Simpsons*, Francis ne se cache pas pour dire que l'influence de son style humoristique provient de cette série télévisée et que ses gags sont plus visuels que textuels. Les thèmes abordés sont sensiblement moins chargés émotionnellement que ceux de ses deux partenaires et sont axés avant tout sur le divertissement. De plus, ils ne sont jamais bien loin de la parodie du film de série B où Francis pousse les complots et les rebondissements impossibles encore plus loin. Un loup décide de prendre en otage un danseur de ballet et un bûcheron? Il n'y a aucun lien entre ces trois personnages et c'est ce qui rend la situation absurde. Ce que l'imagination de Francis désire, le téléspectateur l'obtient à l'écran. Bref, sans nécessairement jumeler les deux groupes, on pourrait presque dire que l'humour des Chick'n Swell est le résultat visuel de ce que peuvent chanter les Denis Drolet par moments. «J'aime beaucoup la folie et l'absurdité. Je suis plus porté sur l'aspect visuel que sur les dialogues, qui sont la force de Daniel. Je maîtrise bien le rythme et la façon de livrer un *punch*[3]. »

Voici quelques exemples de résumés de films qui caractérisent bien son style:

  •   Michel Latendresse et Johnny Jolicœur doivent surmonter les obstacles pour réaliser leur rêve: établir le record du plus gros «chin-chin» au monde! C'est le sketch préféré de Francis où l'on voit deux gars attachés sur le capot de deux autos éloignées à des kilomètres l'une de l'autre, verre de bière à la main et qui doivent

---

3.   Société Radio-Canada, archives, 11 mars 2003, en ligne, Section télévision, reportage sur Francis Cloutier, http://www.radio-canada.ca/television/reportages/0303/francis_cloutier/.

se rencontrer au centre-ville de Victoriaville pour faire un «Chin»!

- Par un temps glacial, des gens sortent à l'extérieur et restent figés dans leurs vêtements encore mouillés à cause de l'inefficacité de leur sécheuse et l'on doit faire appel au pompier et à la police pour les secourir.

- Un optimiste veut sauter sur le toit d'un édifice parce qu'il aime la vie (au lieu de sauter en bas pour mourir).

- Un satellite top secret s'écrase en Russie. Le Patentagone envoie l'agent détective secret Joe le récupérer[4].

Le chandail orange : Simon-Olivier Fecteau

C'est Simon-Olivier Fecteau qui privilégie l'aspect cinématographique dans la réalisation des sketchs des Chick'n Swell, d'où son surnom de «cinéaste». L'humour de Simon-Olivier est un bon mélange de visuel, de textuel, de drame et de langage cinématographique. Il est un grand amateur des décrochages, de la mise en abyme et des gags sur l'envers du décor. Par exemple, en plein milieu d'un sketch, on voit le réalisateur hors champ arrêter l'action et expliquer au public comment il compte faire la scène malgré le manque de budget. Même s'il se spécialise dans la réalisation, Simon-Olivier participe aussi à l'écriture et est probablement considéré comme le meilleur acteur du groupe. Il a d'ailleurs été en nomination aux prix Gémeaux en 2004 dans cette catégorie. Son type d'humour absurde dérive souvent vers l'humour noir et le sarcasme autour des relations humaines. Toutefois, il arrive à bien doser la noirceur de son humour pour conserver un certain côté ludique et léger, sans jamais tomber dans la gratuité. Il explique que ce qui caractérise son style, c'est la subtilité du sens qu'il peut y avoir dans la corrélation entre deux concepts qui n'ont *a priori* aucun lien sémantique :

---

4. Chick'n Swell, 2005, *Chick'n Swell : série 2*, série télévisée. Texte des *Chick'n Swell* : Daniel Grenier, Simon-Olivier Fecteau et Francis Cloutier, Montréal, DVD Zone 1, 330 min.

Dans ces deux images-là qui semblent ne pas avoir de sens, il y en a un… Pis il est vraiment loin et c'est à ce moment-là que ça devient drôle, mais associé n'importe quoi ensemble n'est pas drôle. Ce qui est drôle, c'est quand on touche l'espèce de couche où le spectateur se dit: «Ha ouin il y a un lien avec tout ça[5]?»

Tout comme Daniel, Simon-Olivier traite souvent de sujets très psychoaffectifs, mais, à défaut de leur donner un traitement plus poétique, il cherche plutôt le drame. Il se plaît souvent à dire quelque chose d'absurde et à la fois vraiment «méchant» sur un ton complètement banal et naturel, créant ainsi un décalage entre le ton employé, l'émotivité et le contexte habituellement chargé d'une lourde émotion. Par exemple, dans l'un de ses sketchs, il joue le rôle d'une mère qui apprend à son fils de dix ans qu'elle rompt les liens avec lui sous le prétexte absurde qu'il n'est pas l'enfant calme qu'elle aurait voulu avoir. En voici un extrait:

Éric marche sur les mains dans le gazon en avant de chez lui.

Maman: *Éric! Éric! Viens ici, il faut que je te parle!*

À l'intérieur.

Maman: *Assis-toi, Éric, il faut qu'on se parle.*

Éric: *Hey mais maman! Maman! Est-ce que tu vas venir me voir après, là? Je suis capable de marcher sur les mains!*

Maman: *Non Éric… euh… j'irai pas te voir marcher sur les mains… parce que, c'est pas facile à dire, mais… je te trompe. Ça fait deux mois que j'élève un autre petit garçon.*

Éric: *Hein? Comment ça?*

Maman: *Bien, tu te rappelles, Éric, je t'avais parlé de l'amour, la grande chose invisible qui est très forte et très grande qui nous unit… bien, je n'en ai plus pour toi.*

Éric: *Pourquoi?*

Maman: *Bien… je vais être honnête parce que je te respecte, Éric, je te trouve… banal. Tu penses juste à marcher sur les mains et à jouer à l'ordinateur, j'ai besoin de plus comme fils!*

Éric: *Qu'est-ce que ça veut dire le mot banal?*

---

5.   Simon-Olivier Fecteau, témoignage sur l'humour absurde, rencontre à Montréal, 20 juillet 2005.

Maman : *Comprends-moi bien Éric, mon psychologue dit qu'il faut que je poursuive mes rêves. J'ai toujours voulu avoir un fils qui aime la lecture, ça n'arrivera pas avec toi. Avec Mathieu, par exemple…*

Mathieu : *Salut maman, veux-tu me lire une histoire ?*

Maman : *Bien oui, tit pit ! Tout de suite après !*

Mathieu : *D'accord.*

Maman : *J'ai beaucoup plus de chance. Mais, sens-toi pas coupable, Éric, parce que c'est pas juste de ta faute, c'est pas parce qu'on est dans la même famille qu'on est fait pour s'entendre. Mon psychologue me l'a fait comprendre ça aussi.*

Éric : *Oui mais…*

Maman : *Il n'y a pas de oui mais ! Je vais prendre le contrôle de ma vie et il n'y a personne qui va m'en empêcher. Je veux vivre mes rêves, je fais des actions concrètes pour atteindre mes buts. Alors tiens… je t'ai préparé un sac avec un toutou et ton pyjama… Adieu Éric[6].*

Ainsi, grâce à son humour absurde teinté de noir, il transpose indirectement la problématique du couple d'aujourd'hui qui semble vouloir éclater au moindre conflit. En extrapolant jusqu'à l'amour inconditionnel d'une mère et de son garçon, il critique en quelque sorte la société actuelle d'une façon subtile et ludique, sans attaquer personne directement. Certains diront que ce type d'humour ressemble parfois à celui de Claude Meunier par la violence de ses textes, mais, ce qui le distingue de l'humour Meunier et qui rehausse la noirceur de son humour, c'est le ton naturel et le raisonnement employé par Simon-Olivier. C'est un peu comme s'il était dans la logique des choses qu'une mère laisse son enfant. Le spectateur comprend toujours que nous sommes dans le domaine du comique, mais un comique fortement tragique qui déforme la réalité. C'est un mélange entre l'humour incisif et dénonciateur de Guy A. Lepage à l'époque de RBO et celui de l'absurde moderne, le tout transposé sur les relations psychoaffectives. Simon-Olivier confiait d'ailleurs, lors de l'entrevue, qu'il a l'impression de faire partie d'une génération préoccupée davantage par la psychologisation de l'individu et qui se pose souvent des

---

6.   Chick'n Swell, 2005, *Chick'n Swell : série 2*, série télévisée. Texte des Chick'n Swell : Daniel Grenier, Simon-Olivier Fecteau et Francis Cloutier, Montréal, DVD Zone 1, 330 min.

questions du genre «suis-je vraiment heureux?», «comment puis-je me réaliser?» On voit dès lors ce qui l'inspire. Le vidéoclip humoristique de sa chanson *Maniacodépressif* est un autre exemple de l'humour noir et particulier de Simon-Olivier qui, avec les deux autres membres du groupe, donne un produit très rafraîchissant. Voici un autre exemple où drame, violence verbale et folie se côtoient dans le même sketch :

> Résumé : Un gars se fait passer pour un animateur de quiz télévisé et reçoit son ex-copine à l'émission et la discussion dérape quelque peu :
>
> **Animateur** : *Ah! Ah ok! Ah! Pis ça, j'imagine que c'est de sa faute! Parce que c'est toujours la faute du gars, hein Geneviève?*
>
> **Geneviève** : *Bin... pas nécessairement...*
>
> **Animateur** : *Bin oui, Geneviève, parce qu'un gars, tout ce que ça fait c'est pas correct. Ça dit pas les bonnes choses, ça achète pas les bons cadeaux, ça... c'est toujours en retard!*
>
> **Geneviève** : *J'ai pas dit ça...*
>
> **Animateur** : *Bin non, t'as pas dit ça, parce que vous autres, vous dites rien. Faut toujours tout deviner! Pis si ça fitte pas dans vos petits scénarios, on est des ingrats. Bin veux-tu, je vais te dire quelque chose, Geneviève? C'est vous autres le problème! C'est vous autres les fuckées! Pis moi là, j'ai pas besoin d'aucune femme, surtout pas toi Geneviève!* [Silence... L'animateur se tourne vers le public.] *Alors la première question, pour 5 points! Quel animal court le plus rapidement au monde?*
>
> **Geneviève** : *Euh...* [Le buzzer sonne.] *Le renard?*
>
> **Animateur** : *Bin non, mauvaise réponse! T'es pas parfaite! Ça doit être dur à prendre, hein, que tu peux te tromper toi aussi! Fait que descends de ton nuage de prétention pis viens vivre avec les communs mortels!*
>
> **Geneviève** : *Attends un peu, toi là!*
>
> Elle enlève la perruque et la fausse moustache de l'animateur.
>
> **Foule** : *Heinnnnnnnnn!*
>
> **Geneviève** : *Paul!*
>
> **Animateur** : *Quoi...*
>
> **Geneviève** : *Qu'est-ce que tu fais là?*
>
> **Animateur** : *Bin... je veux me venger parce que tu m'as laissé...*
>
> **Geneviève** : *Fait que t'as inventé un quiz, t'as trouvé un producteur, ça a été accepté par Radio-Canada, t'as mis une perruque pis une moustache, tout ça pour te venger de moi?*

Animateur: *Oui…*

Geneviève: [Elle rit.] *T'as aucune imagination, Paul! C'est vraiment pas comme ça que tu vas me reconquérir!*[7]

Lorsqu'il ne patauge pas trop dans le domaine de l'humour absurde-noir, autre trait qui caractérise le style de Simon-Olivier, c'est son côté plus philosophique qui se plaît à analyser et à décortiquer certains comportements humains. Il est un peu comme le Louis-José Houde du détail absurde qui réussit à raconter une histoire à partir de presque rien, comme dans son sketch de l'homme qui veut saluer son vidangeur dans la rue, mais qui ne connaît pas la distance exacte à laquelle on salue quelqu'un. Voici un extrait du dialogue:

Jim marche dans la rue avec sa valise.

Jim pense: *Ah bien! C'est mon vidangeur! Je vais lui dire salut quand il va être plus proche. Mais je me demande c'est quoi la bonne distance pour dire salut? C'esttu 20 pieds? Ou 30 pieds? Bon, peut-être bien 15? Bon là, je le vois clairement, mais c'est sûr que c'est important de pas crier, pour pas que j'aie l'air bizarre, fait que je vais attendre une couple de pieds, encore une couple de pieds. Bon, peut-être quatre… trois pieds de plus, peut-être deux pieds de plus.*

Trop tard, le vidangeur est déjà passé.

Jim pense: *Merde! J'ai manqué mon cue! Bien maudit que je suis pas vite, qu'est-ce qu'il va penser? Que je suis un snob qui parle pas à son vidangeur? Mais, mais c'est pas vrai! Je respecte son travail! Il faut que je me reprenne!*

Il fait un gros détour derrière les immeubles pour se remettre devant lui[8].

Même si Simon-Olivier ne fait plus partie des Chick'n Swell, son humour noir et psychologique demeure tout aussi aiguisé. Il a d'ailleurs su le transposer dans ses capsules sur le Web avec le concept *En audition avec Simon*, où il incarne le personnage fictif d'un réalisateur prétentieux et arrogant qui reçoit en audition des vedettes établies. Il se permet de les critiquer ouvertement alors qu'il aurait avantage à tirer profit de leurs judicieux conseils. Ce

---

7. *Ibid.*
8. *Ibid.*

petit côté «baveux» fait sourire et se jumelle bien à l'absurde psychoaffectif créant des scènes hautement dramatiques.

Chick'n Swell: une métaphore du cycle de la vie?

Dans les petits films des Chick'n Swell, on remarque que la thématique de la mort est très présente et c'est l'une des raisons pour lesquelles je considère leur humour, en partie, existentiel. Au-delà du contenu, même la forme est parfois investie implicitement du cycle de la vie et de la mort. En effet, des liens très autoréférentiels unissent leurs petits films entre eux et la conclusion de l'un vient souvent boucler la boucle avec l'introduction de l'autre, «forçant», en quelque sorte le spectateur à demeurer «prisonnier» de ce monde absurde et à suivre cette spirale sans fin. Dans le DVD de la deuxième saison, le sketch où l'on voit un homme, souffrant du «syndrome de Pac-man», rester prisonnier de son propre sous-sol car la porte de gauche mène toujours vers la porte de droite (vice-versa) traduirait-il ce désir inconscient d'un besoin d'infini ou d'une angoisse existentielle quelconque? Du moins, cette notion de boucle sans fin traitée de façon humoristique n'est pas sans rappeler le cycle de l'absurde évoqué par Albert Camus dans son essai *Le mythe de Sisyphe*[9] où le héros est condamné par les dieux à rouler éternellement un rocher jusqu'au sommet d'une montagne pour ensuite le laisser retomber de son propre poids. Simon-Olivier le confirme en quelque sorte: «Si je fais de l'angoisse dans la vie de tous les jours, mon humour va chercher à exprimer cette angoisse réelle. [...] La plus grosse blague absurde, c'est nous autres sur la terre[10].»

En demeurant dans la lignée existentialiste, j'en profite pour faire un bref parallèle avec le groupe Les Appendices que l'on peut suivre sur les ondes de Télé-Québec depuis 2009. Certains décrivent leur humour comme étant inoffensif, très peu vulgaire, cultivant l'irrationnel et l'incongru. On dénote aussi de fortes similitudes avec l'humour des Chick'n Swell. Fervents amateurs de

9. Albert Camus, *Le mythe de Sisyphe*, Paris, Gallimard, 1942, 187 p.
10. Simon-Olivier Fecteau, témoignage sur l'humour absurde, rencontre à Montréal, 20 juillet 2005.

l'humour et de la philosophie existentialiste d'Ionesco, Les Appendices représente, en quelque sorte, une mise en abyme de la vie. Au fond, quoi de plus absurde et « inutile » qu'un appendice ? Les propos de Jean-François Chagnon, un des membres du groupe, témoignent d'ailleurs très bien du climat sociétal actuel, de ce que cherche à exprimer l'humour absurde moderne, et viennent soutenir ma première piste de réflexion.

> Dans la vie, il y a deux solutions : soit on se tire un balle, soit on rit. Rien n'est sérieux. Tout est prétexte à rire dans la vie. Certaines personnes s'efforcent de courir après l'argent alors que, finalement, on va tous finir de la même manière : on va tous mourir. Dans le fond, notre message est assez pessimiste si tu enlèves la touche d'humour. Mais finalement notre façon de sortir de cette vision pessimiste, c'est justement d'en rire, analyse Jean-François Chagnon[11].

> En revanche, pas question pour autant de porter un discours politisé ou engagé. Il s'agit juste pour nous de traduire notre vision de la vie. Et, à force de jouer les comiques, l'humour est devenu aussi notre mode de vie[12].

Les Chick'n Swell sur scène : le trio B !

Lorsque Simon-Olivier Fecteau quitte le groupe en 2006, avec son chandail orange, c'est Ghyslain Dufresne, ancien membre de Crampe en masse, qui prend sa place avec son chandail rouge. Cette retrouvaille coïncide avec le grand retour sur scène des Chick'n Swell. Ce passage de la télévision à la scène n'affecte en rien l'ingéniosité du groupe et leur style humoristique demeure toujours aussi original, mélodramatique et fortement influencé par le langage cinématographique. Toutefois, celui-ci perd quelque peu de sa noirceur au profit d'une plus grande homogénéité ludique et fantaisiste amenée par Dufresne. Le groupe conserve ainsi sa réputation de pouvoir faire beaucoup avec peu de budget, comme dans le sketch où ils mettent en scène une poursuite de

---

11. Sandra Limousin, « Joie de rire : les Appendices », Journal étudiant *Quartier libre*, Université de Montréal, volume 12, numéro 16, 2005, http://www. ql.umontreal.ca/volume12/numero16/culturev12n16a.html.

12. *Ibid.*

«chars» à l'aide de 4 lampes de poches! Les trois comparses s'amusent aussi à déconstruire le langage scénique, comme dans le sketch où ils rejouent le numéro précédent, mais en donnant cette fois-ci le point de vue de l'arrière-scène ou encore celui où Daniel Grenier sort en coulisses et revient subitement sur l'écran géant dans un lieu lointain, créant une ellipse de temps complètement absurde.

Que ce soit sur scène ou à la télévision, la force des Chick'n Swell réside dans l'art d'exploiter au maximum «l'ère de jeu». L'exemple ultime de cet exploit est sans contredit le numéro d'ouverture du gala des Oliviers de 2011 où ils parviennent à fusionner le langage scénique avec celui du multimédia en reconstituant un immense Ipad manipulé par deux doigts gigantesques. Le trio se retrouve prisonnier de l'écran et assujetti par les commandes tactiles qui les font valser de gauche à droite, tournoyer, agrandir et changer de décor. Le tout se termine lorsqu'un des doigts active la fonction 3D et que les trois humoristes sortent de l'écran pour se retrouver sur scène et commencer l'animation du gala. Le public est à la fois surpris et ébloui par la mise en scène d'un tel numéro. Serait-ce une façon inconsciente d'exprimer une métaphore de Dieu, d'un être extérieur qui gère notre destin?

Les Chick'n Swell: représentants d'une génération individualiste hédoniste qui se psychologise?

Est-ce qu'ils sont dans la vingtaine, la trentaine? À la télévision, on ne le sait pas vraiment, mais, ce qui compte, c'est de constater qu'il y a dans la société actuelle une jeunesse sociologique beaucoup plus grande que la simple jeunesse biologique. De plus, elle se fait le porte-parole d'un courant de pensée populaire fortement influencé par l'individualisme où la liberté et le ludisme sont mis de l'avant. Il n'est pas rare en effet d'entendre des gens se dire: «Nous n'avons qu'une vie après tout, pourquoi ne pas nous amuser?» Les adolescents d'aujourd'hui vivent en permanence avec cette idée en tête. Pour eux, les Chick'n Swell, un peu comme les gars de la série télévisée américaine *Jackass* ou ceux des *Pieds dans la marge*, sont des représentants de cette doctrine de vie. Cette notion de vouloir consumer sa vie rapidement, de profiter de sa jeunesse et de repousser l'âge adulte avec les responsabilités que cela comporte, certains sociologues l'appellent «l'adulescence» et elle se retrouve indirectement au cœur de l'humour absurde moderne.

Fait intéressant, les humoristes de cette génération l'absurde moderne se retrouvent pour la plupart dans la tranche d'âge qui a été exposée dans l'enfance à la populaire émission éducative québécoise *Passe-Partout*. Cette émission gouvernementale aurait-elle laissée plus de «séquelles» qu'on le croirait? Blague à part, les éléments parfois surréalistes et fantaisistes ainsi que les mimiques «ludiquement naïves» des personnages excentriques que l'on retrouvait dans cette quotidienne sont probablement restés imprégnés dans l'imaginaire de cette génération dont je fais d'ailleurs partie. Après tout, Passe-Montagne avec son habit rouge, son regard illuminé, son papillon dans le cou qui mouche un nez géant ou qui va à la chasse de moustaches parfumées, dégage quelque chose de très «fantastique» comme diraient les Denis Drolet et il se rapproche d'un concept humoristique. Déjà, à cette époque, l'expression «ç'a pas rapport» était utilisée par les jeunes du primaire pour décrire une situation qui semblait bizarre à leurs yeux et ce n'est qu'aujourd'hui, à présent qu'ils font partie de la population active, que leur imaginaire se transpose dans les médias et vient nourrir une forme d'humour qui leur est propre. Au fond, les valeurs que véhiculait *Passe-Partout* à l'époque, soit le ludique, le respect de soi et des autres, cultiver l'imagination, la psychologisation de l'individu, communiquer ses états d'âme, le droit à la différence, ne pas dire du mal de son voisin, l'amitié, etc., ne rejoignent-elles pas celles de l'humour absurde moderne? Les Chick'n Swell seraient donc imprégnés du ludisme naïf et de la «joie de vivre» suggérée par cette émission qui a contaminé toute une génération? D'ailleurs, aujourd'hui, ne vivons-nous pas dans une société où le sourire et le sens de l'humour sont devenus carrément une «nécessité» et des qualités inconditionnelles recherchées chez l'autre? Gille Lipovetsky a-t-il raison d'affirmer ceci?

Si le code humoristique s'est imposé, a « pris », c'est qu'il correspond à de nouvelles valeurs, à de nouveaux goûts, à un nouveau type d'individualité aspirant au loisir et à la détente, allergique à la solennité du sens après un demi-siècle de socialisation par la consommation[13].

Les Chick'n Swell ont déjà d'ailleurs caricaturé la situation en réalisant un petit film humoristique traitant de la reproduction prolifique des humoristes et du monologue comique au Québec en imaginant un contrepoids à ce contexte fantaisiste : l'histoire d'un monologue dramatique, un homme qui fait pleurer les gens pour gagner sa vie. « Êtes-vous mourant[14] ? »

Absurde certes, mais porteur d'un message qui me permet de faire un lien avec le prochain chapitre qui sera consacré à l'humour absurde moderne social : quand l'humour absurde ancre sa bulle imaginaire dans la réalité et se rapproche de l'ironie, du sarcasme et de l'humour « engagé ». Pour le reste, j'analyserai davantage l'humour absurde moderne psychoaffectif au chapitre XIV.

---

13. Gilles Lipovetsky, *L'Ère du vide : essais sur l'individualisme contemporain*, Paris, Gallimard, 1983, p. 224.
14. Chick'n Swell, 2005, *Chick'n Swell : série 2*, série télévisée. Texte des Chick'n Swell : Daniel Grenier, Simon-Olivier Fecteau et Francis Cloutier, Montréal, DVD Zone 1, 330 min.

Bloc **3**

L'humour absurde moderne social : la cible, c'est le social

Qu'arrive-t-il quand l'humour absurde sort partiellement de sa coquille avec un désir d'interpeller l'autre, de vouloir confronter l'absurde à la réalité quotidienne et de passer un certain message social à l'occasion? On se retrouve dans ce que je nomme l'humour absurde moderne social, la troisième grande catégorie de l'absurde moderne qui est, à mon avis, la plus hétérogène des trois. Le niveau de cynisme et «d'engagement» social peut varier d'un humoriste à l'autre et être parfois totalement absent, mais c'est ce que je vais tenter de démythifier dans cette section en dressant dans l'ordre un portrait et une analyse de Patrick Groulx (*Le Groulx luxe*), de l'émission *Les Pieds dans la marge*, de Louis-José Houde (*Dolloraclip, Ici Louis-José Houde*), du groupe Phylactère Cola et de l'émission *3600 secondes d'extase*.

CHAPITRE VII

Patrick Groulx : *Le Groulx luxe, c'est n'importe quoi !*

Né le 28 mai 1974, Patrick Groulx s'inscrit dans la génération des Chick'n Swell sans que son humour prenne nécessairement la même trajectoire. Ayant suivi des cours d'arts dramatiques au collège Samuel-Genest de 1988 à 1992, des cours privés d'interprétation en 1995 et de mise en scène en 1996-1997, il est l'un des rares humoristes de cette génération à ne pas être passé par l'École nationale de l'humour du Québec. Membre du groupe les 4Alogues de 1993 à 1997, il s'est aussi adonné à la pratique de l'improvisation sur la patinoire de la Limonade en 1995, avant de côtoyer l'univers radiophonique de CKTF (Hull) en 2000 et de CKMF en 2001-2002 avec l'émission *C't'encore drôle*. C'est véritablement en 2003, alors qu'il fait un passage remarqué comme animateur du gala Drôle de Jam au Grand Rire bleue et qu'il se lance dans l'aventure du *Groulx luxe, c'est n'importe quoi* qu'il réussit à gagner la fidélité inconditionnelle de son public et à remporter du coup la statuette de la Découverte de l'année. Dès lors en février 2003, il présente son premier spectacle solo. Fort de ce succès spontané, Patrick Groulx rafle fièrement le prix de la Performance scénique 2004 au gala des Oliviers. Au petit écran, mis à part sa présence sur le plateau du canal des nouvelles modifiées (CNM) et quelques petites chroniques pour *Fun noir* à TQS, rien n'a autant de répercussions que *Le Groulx luxe* à présent sur DVD. Comme dans le cas de Louis-José Houde et de son émission *Dolloraclip* à Musique plus, je considère qu'il y a une certaine différence entre l'humour de Patrick Groulx en spectacle et son humour absurde à la télévision. C'est pourquoi je vais m'attarder davantage à l'angle télévisuel.

Le Groulx luxe, c'est n'importe quoi : le concept

Émission s'inscrivant par moments dans la lignée des capsules de Bruno Blanchet et du côté « bas de gamme » des Chick'n Swell par ses sketchs absurdes ou celle de Réal Béland dans ses gags de caméra cachée, le *Groulx luxe* rejoint l'univers « anarchique » américain de *Jackass* en délaissant son côté sado-masochiste extrême. Le titre le dit : « *C'est n'importe quoi* ». L'émission est un ramassis de capsules, de reportages parfois improvisés et de défis absurdes spontanés qui cadrent très bien dans l'humour moderne. Au lieu d'inviter les gens à venir dans son monde imaginaire, c'est Patrick qui décide d'aller dans le leur en le modifiant et en transposant ses idées absurdes dans le réel. C'est pourquoi je considère que le *Groulx luxe* est davantage de l'humour absurde « social ». Imaginez, quelqu'un qui décide de jouer au mini-golf aux feux rouges d'une intersection à Montréal, d'aller piétiner des raisins dans un restaurant « apportez votre vin », de se rendre dans un salon de bronzage pour vérifier s'il est possible de faire cuire un œuf sur un lit chauffant ou de calculer le temps nécessaire pour trouver une femme qui s'appelle Monique dans un centre commercial. C'est absurde, mais le tout est concrétisé dans le réel et non dans la fiction. C'est pratiquement le même concept qu'a mis de l'avant Bruno Blanchet dans un segment de son émission *N'ajustez pas votre sécheuse* lorsqu'il faisait des défis similaires dans la rue avec son ami Guy Jodoin. Il a aussi été repris par Réal Béland dans *Le programme du vrai monde* à TQS ainsi que, plus récemment, par les trois animateurs de l'émission *Les Pieds dans la marge* diffusée à Radio-Canada. Quoi qu'il en soit, l'équation est la même et on génère de l'absurde en associant deux variables qui n'ont *a priori* aucun lien, voire aucun rapport, comme le minigolf et le nid-de-poule à une intersection de rues par exemple. Un nouveau contexte est créé : l'absurde sort de sa bulle imaginaire et hermétique en affrontant le réel. Dans nos sociétés uniformisées où il faut obéir à un nombre toujours croissant de codes de conduite et de lois, l'interdit est partout. Aller au bout de ses fantaisies ou de ses désirs « chaotiques », « provoquer » l'ordre établi est donc un peu le plaisir recherché dans cette émission. « C'est quoi le but ? » s'exclame le réalisateur Raphaël, qui fait aussi partie du concept. « Le but, c'est de faire n'importe quoi », lui répond tout simplement Patrick, à la recherche d'une totale liberté. N'importe quoi, peut-être, mais un « n'importe quoi » qui trouve sa place à l'intérieur de six capsules :

1. *Combien ça va prendre de temps avant qu'il se fâche ?*

2. *Maudit qu'on a rien à faire !*

3. *Les défis absurdes de Patrick contre sa sœur Sylvianne*

4. *Un alien en g-string qui…*

5. *Choses qu'on n'a jamais appris à l'école*

6. *C'est tellement pas politiquement correct !*[1]

Combien ça va prendre de temps avant qu'il se fâche ?

La première catégorie renvoie à tout l'univers des émissions de caméras cachées, comme *Surprise Surprise*, *Les Insolences d'une caméra* ou, dans la même lignée, *Drôle de vidéo*. Troubler l'espace vital de quelqu'un ou jouer des tours ne date pas d'hier, mais c'est le traitement et la forme qui changent. Le *Groulx luxe* repousse les limites et renouvelle le genre en faisant des tests inutiles : combien de temps ça va prendre avant que la personne se fâche si on lui fait du bruit avec une mini trompette dans l'oreille ou combien de fois peut-on retourner une assiette au restaurant avant que le serveur pète les plombs ? Ce qui devient intéressant avec cette émission, c'est que le spectateur, par l'entremise de la caméra épaule et de l'animateur qui explique la démarche à suivre, se sent inclus dans l'orchestration du coup. Ainsi, il peut sentir l'adrénaline comme s'il faisait partie intégrante de l'équipe de tournage et l'authenticité

1. Patrick Groulx, 2005, *Le Groulx luxe : série 2*, série télévisée. Texte de Patrick Groulx, réalisation Raphaël Ouellet, Montréal, DVD Zone 1, Galilée.

de la situation en étant voyeur. Le coup n'étant jamais excessivement très méchant et souvent avec très peu de conséquences autres que le rire, Patrick Groulx reste le bon petit diable qui va chercher à s'excuser et à s'assurer que la personne ne demeure pas fâchée. Tel un petit garçon qui, pour se faire pardonner de son geste «immature», va chercher à renouer «contact» avec la personne en dédramatisant la situation. Au fond, tout comme ses confrères de l'absurde, il est un être sensible, généreux, profondément humain, qui adore «jouer» et qui a su conserver son cœur d'enfant. Est-ce la raison pour laquelle il a séduit pendant quelque temps le cœur d'Annie Brocoli, la populaire animatrice d'émission pour enfants? Bref, il aime le monde et ce qu'il fait n'est au fond qu'un simple laboratoire sociologique où il est permis de faire n'importe quoi.

«Maudit qu'on a rien à faire, hein Sylviane?»

Les capsules *Maudit qu'on a rien à faire* et *Patrick vs Sylviane* recoupent aussi avec le concept d'un *Jackass* plus doux, enfantin et adapté pour le Québec. En fait, elles mettent en scène indirectement cette notion d'oisiveté issue de la jeunesse banlieusarde de la classe moyenne qui est à la recherche d'une activité pour s'amuser. C'est dans la nature insignifiante des interrogations ou des défis lancés à sa sœur Sylviane que Patrick rallie à la communauté de l'humour absurde moderne en redonnant de la valeur au banal. Il provoque des questionnements et des défis du genre : démontrer jusqu'où un individu peut se rendre en taxi avec trois dollars, boire une barbotine le plus rapidement possible, faire une course dans un supermarché et être le premier à ressortir avec deux rôties au beurre d'arachide ou encore est-ce qu'il est possible de faire cuire du saumon sur un moteur d'auto? Tel un enfant pour qui chaque question est tout aussi valable qu'une autre, *Le Groulx luxe* s'amuse à y apporter une réponse.

Un alien en g-string qui...

La capsule *Un alien en g-string qui...* est l'exemple idéal et à la fois classique de l'humour absurde moderne que nous avons vu précédemment. C'est l'art d'associer plusieurs éléments improbables et détaillés afin de créer une situation très précise qui peut nous paraître absurde ou même surréaliste. En effet, comment ne pas réagir devant un *alien* en «g-string» qui engueule un parcomètre, qui casse des œufs avec un téléphone ou qui répare une crevaison? Ce qui devient encore plus drôle, c'est de le voir à l'écran et non seulement de se l'imaginer, comme avec les chansons des Denis Drolet, par exemple. Le spectateur se dit : «Comment la personne a-t-elle trouvé l'audace de se mettre en petite culotte sexy publiquement avec un masque d'extra-terrestre sur la tête, de garder son sérieux et de recréer la scène?» Le rire découle du «pathétisme» de la situation et du contexte «abrutissant» dans lequel on nous plonge. Personnellement, j'inclus ce genre de gag dans la catégorie «sexuo-absurde» où la blague est à la fois très absurde et dotée d'un côté exhibitionniste souvent à la mode et plus toléré chez les moins de 40 ans. En effet, on a qu'à penser à Jackass, Bruno Blanchet, *Dolloraclip*, Chick'n Swell, *Les Pieds dans la marge* et même les Denis Drolet qui ont déjà traité de près ou de loin ce genre de thématique.

Un humour absurde moderne social noir ?

Les deux derniers segments de l'émission regroupent les capsules *Choses qu'on a jamais appris à l'école* (ex. : comment plier un drap contour ou une carte routière, etc.) et *C'est tellement pas politiquement correct* où l'humour absurde croise le fer avec l'humour noir. Toutefois, l'absurde moderne conserve sa propriété d'humour gentil, sympathique et qui ne blesse pas. Les sketchs de cette catégorie donnent l'illusion d'être méchants, mais on ne rit pas directement de la personne, on rit plutôt de la différence, de l'unicité précise tout en l'incluant dans la blague. Un peu comme dans le gag tiré du *Groulx luxe* où l'on voit quatre personnes à l'écran et où le jeu consiste à trouver le muet parmi eux en lui marchant sur le pied, ou encore trouver le chinois parmi des

Asiatiques. Rien de bien malveillant, mais on se « moque » des minorités sans les dénigrer, en les incluant dans une situation absurde.

Patrick et les longueurs «inutiles»

Tout comme ses confrères de l'absurde télévisuel, Patrick se veut un grand amateur des longueurs « inutiles » à la télévision qui créent à la fois un malaise et un sourire. Le temps est tellement une valeur importante dans la collectivité que l'attaquer ou le défier est, en quelque sorte, une façon d'exprimer une insatisfaction. C'est le désir, inconscient peut-être, de vouloir ralentir le rythme de la société dans lequel nous sommes, d'appuyer sur pause et de laisser la vie nous parler simplement. « Mon Dieu qu'on apprécie les émissions qui ont du beat », s'exclame le *Groulx luxe* sur un ton ironique, conscient de sa propre étrangeté à la suite d'un long silence. Tout comme les Chick'n Swell, il excelle dans la capacité de jouer un rôle « sans jouer », créant l'illusion du naturel et de l'authentique. Le sketch que l'on retrouve dans le menu « extras » du coffret DVD du *Groulx luxe* est pour le moins très original, car il offre la possibilité à l'usager de pouvoir souper en sa compagnie en utilisant une caméra subjective. Patrick s'adresse au spectateur comme s'il était dans une soirée intime avec lui pendant une trentaine de minutes.

Un humour engagé?

Bien que cela tend à changer quelque peu, certains diront que les humoristes actuels ne sont pas très engagés autant dans leur humour que dans leur participation sociale. Après tout, on ne peut pas demander à un humoriste de faire de l'humour engagé si ce n'est pas sa force. Il est victime de l'invasion du narcissisme, comme la plupart des gens pour qui le bien-être de l'individu et son petit monde passent souvent avant l'intérêt du bien-être collectif. L'humour n'est que le reflet de la société. De son côté, Patrick Groulx, malgré un humour carburant au « vide » pour certains, demeure un artiste capable de s'engager dans des causes sociales. Il suffit de penser à son parcours jonché de « rassemble-ments de câlins » ou encore à sa marche jusqu'à Québec entreprise dans le but d'amasser des fonds pour Opération enfant soleil pour comprendre à quel point il aime marier les bons gestes et sa passion dans des projets complètement inusités.

Le rassemblement des câlins

Qui aurait cru qu'un appel à la population pour rassembler des gens dans le but de donner des câlins à son voisin et de festoyer avec lui aurait été si populaire ? L'idée à la base était complètement farfelue, mais puisée à partir d'un constat fort représentatif de notre époque individualiste : à la fois ce besoin paradoxal d'affection et cette notion d'indifférence face à l'autre. En fait, l'hymne à l'affection de Patrick Groulx est venu compléter l'hymne à la tolérance entamée par Bruno Blanchet quelques années plus tôt. Sans vouloir faire de grandes analyses sociologiques, avec nos systèmes « narcissiques » où les relations humaines, publiques et privées sont devenues des rapports de domination, des rapports conflictuels fondés sur la séduction froide, l'intimidation, la compétition, la guerre et l'indifférence, il n'est pas étonnant de constater que cette « autorisation » de donner des câlins gratui-tement fut si populaire. La création de cet événement démontre une fois de plus que l'humour absurde se marie très bien aux besoins affectifs profonds de la nature humaine.

Patrick Groulx en bref et plus

Au fond, le *Groulx luxe* recrée aussi les fondements de l'humour absurde moderne : un humour naturel, naïf, « bizarre », affectif, très spontané, à la recherche d'une liberté totale sans quête de sens où l'intégrité d'une personne n'est jamais vraiment attaquée et dans lequel l'absurde est une continuité de la tolérance et du respect envers l'autre. On préfère rire avec elle de la situation plutôt que de s'en moquer directement et gratuitement. « C'est stupide, mais il faut s'amuser dans la vie[2]!», s'écrie Patrick Groulx, qui rejoint une philosophie très populaire du XXIe siècle. On vit à l'ère où l'individu se retrouve face à un éventail de choix car tout relève du possible : un pauvre peut devenir une star, un avion peut rentrer dans une tour, on peut mener des doubles vies, je peux acheter une étoile ou sodomiser un ballon d'anniversaire, etc. L'humour chaotique de l'absurde répond justement à cet éventail de choix et de corrélations diverses qui nous entourent et qui n'ont parfois aucun sens, ainsi qu'au besoin de renouveler l'état de surprise, car plus rien n'étonne, ou presque. Faire de l'humour absurde, c'est le plaisir de pouvoir jouer à Dieu et de créer un monde selon ses propres volontés.

Les Pieds dans la marge : les héritiers du Groulx luxe

L'émission *Les Pieds dans la marge*, diffusée à Radio-Canada entre 2006 et 2010, se veut, d'une certaine manière, une évolution du concept lancé par Patrick Groulx dans le *Groulx luxe*. Destinée avant tout à une clientèle adolescente et comportant un certain volet éducatif, cette émission représente aussi très bien l'essence de l'humour absurde social. Elle est animée par le personnage Pierre-Paul Paquet, une caricature de l'adulte «branché» qui s'adresse aux jeunes en prétendant les connaître. La thématique de l'émission hebdomadaire repose toujours sur l'importance de faire quelque chose. On retrouve, par exemple, l'importance de s'exprimer, de se lancer, de s'amuser, de s'intégrer, d'aller jusqu'au bout, etc. D'ores et déjà, on remarque que la nature même de ces thèmes cadre particulièrement bien avec les valeurs et la philosophie du contexte psychosocial actuel. Une fois le thème annoncé, les trois véritables animateurs, Mathieu Pichette, Jean-Sébastien Busque et Félix Tanguay, se prêtent au jeu d'une expérience sociologique en lien avec le thème où l'adrénaline et les sensations fortes se combinent à l'humour absurde pour créer des situations loufoques. Au fond, se dégage de cette émission la complicité attachante de ces «amis-cobayes» dans la trentaine qui se lancent

---

2.   Patrick Groulx, 2005, *Le Groulx luxe : série 2*, série télévisée. Texte de Patrick Groulx, réalisation Raphaël Ouellet, Montréal, DVD Zone 1, Galilée.

des défis absurdes, traduisant, à leur façon, ces besoins de psycho-logisation et de dépassement de soi propres à notre société. Voici une liste de défis prise à même la saison 1 de leur coffret DVD :

- Se raser la barbe en chute libre
- Faire la vaisselle dans un lave-auto
- Peinturer en conduisant
- Lire un discours devant des gens nus
- Aller à l'école en Go-kart[3]

Sur le plan sociétal, avec cette quête généralisée de sensations fortes, il n'est pas étonnant de voir monter en flèche la popularité de certains sports extrêmes tels que le parachutisme, l'alpinisme, le bungee et autres. Qu'est-ce qui en est la cause ? Est-ce parce que nous vivons dans une société aseptisée où il y a trop de sécurité, ce qui va à l'encontre de la nature humaine ? Sommes-nous rendus à un tel point dénaturés que nous avons besoin d'affronter le danger pour nous sentir vivants ? Quoi qu'il en soit, de par leur réalisation dynamique et leurs animateurs audacieux qui rappellent parfois ceux de *Jackass*, *Les Pieds dans la marge* et le *Groulx luxe* repré-sentent, à leur manière, cette doctrine de vie.

---

3. Les Pieds dans la marge, 2008, *Les Pieds dans la marge : saison 1*, série télévisée, Radio-Canada, Montréal, DVD, 425 min.

CHAPITRE VIII

Ici Louis-José Houde et Dolloraclip : rire du démodé !

B ien qu'il soit très populaire pour son humour du détail observé et de l'anecdotique quotidien nouveau genre, Louis-José Houde n'est toutefois pas classé parmi les humoristes de l'absurde moderne, mais je considère qu'il demeure un acteur important. Né le 19 octobre 1977 et plongé dans cette génération, il en est de toute évidence très influencé par moments. On le constatera dans son émission *Dolloraclip* qui a connu un succès monstre à Musique plus en 2002-2003 ainsi que dans *Ici Louis-José Joude*, l'héritière plus fortunée de *Dolloraclip* à Radio-Canada.

Le concept est fort simple : puiser dans les archives de Musique plus et de la Société Radio-Canada les vidéoclips, publicités et extraits d'émissions les plus «mauvais», démodés, quétaines afin d'en faire ressortir le côté humoristique. Observateur et soucieux du détail, Louis-José avertit toujours le téléspectateur sur quoi porter son attention dans l'extrait présenté : la coupe de cheveux de la fille, la moustache du gars qui marche sur la plage, l'erreur qui se glisse dans le milieu de la chanson, l'habit ou la réaction «trop intense» d'une personne, etc. Ainsi, on a déjà un avant-goût de ce que l'on «doit» trouver drôle. Tout comme l'humour absurde, la cible est ailleurs que dans le réel. Avec *Dolloraclip* et *Ici Louis-José Houde*, on rit des modes passées et de la génération précédente, donc personne ne se sent attaqué directement, mais presque tout le monde se sent concerné ou reconnaît une personne de notre entourage. Qui ne se souvient pas de la mode vestimentaire fluorescente et androgyne des rockers des années 1980 qui arboraient fièrement la désormais classique coupe Longueuil ? (cheveux longs sur la nuque). Rire du démodé n'est pas nouveau en soi, mais on comprend un peu mieux d'où provient l'inspiration des humoristes de l'absurde moderne dans la création de leurs personnages. On a qu'à penser à l'imaginaire des Cowboys Fringants, des Denis Drolet, des Trois Accords, des Chick'n Swell, qui sont remplis d'exemples puisés à même la génération des années 1980. « À l'humour léger, décontracté et vivant du présent correspond l'humour involontaire, vaguement empesé du démodé[1] », déclare le philosophe Lipovetsky sur l'ère moderne. À mon avis, c'est cyclique, les années 1980 sont à la mode en 2012, mais très bientôt nous rirons des années 1990, si ce n'est pas déjà le cas. Ce qui devient intéressant, c'est que l'humour absurde moderne non seulement aime se moquer du passé et du « mauvais », mais s'amuse à le recréer pour en faire un produit volontairement quétaine qui se rapproche de la parodie et de l'humour social. Le spectateur se dit : « Est-ce de l'ironie ? Se prennent-ils vraiment au sérieux ? » Car se prendre au sérieux de nos jours est presque « mal vu ». C'est pourquoi la génération actuelle d'humoristes s'amuse souvent à rire de ces personnes un peu « trop intenses » dans leur style. Je pense à notre ami octogénaire Normand L'Amour par exemple. C'est l'histoire aussi du rappeur de Québec D-Natural qui, grâce à son vidéoclip « pathétiquement sérieux » de la chanson *D-Natural est mon nom* diffusé à *Dolloraclip*, est devenu malgré lui une star de la « médiocrité ». Louis-José Houde a poussé le phénomène jusqu'à inviter le principal intéressé en studio afin de l'inclure dans la blague et de « relancer sa carrière ». « Par l'hédonisme de masse, l'humour change de tonalité, s'indexant en priorité sur les valeurs de cordialité et de communication[2]. »

Si se prendre au sérieux est devenu quelque chose d'humoristique en soi, il n'est pas étonnant de voir que certaines personnes ou certains groupes de musique, dans le but de faire rire, exploitent

---

1. Gilles Lipovetsky, *L'Ère du vide : essais sur l'individualisme contemporain*, Paris, Gallimard, 1983, p. 221.
2. *Ibid.*, p. 228.

cette dimension en projetant une image ambiguë entre l'ironie et le sérieux. En fait, ils se disent peut-être, comme plusieurs autres, que tout ce qui est autour d'eux (les médias, la politique, la publicité et même la vie) n'est qu'une véritable farce en soi et que croire en quelque chose est devenu comique, alors pourquoi ne pas faire semblant de se prendre au sérieux ? Je pense par exemple à un groupe québécois comme Blacktaboo qui se veut une véritable caricature du hip-hop vulgaire.

Dolloraclip et l'humour absurde moderne

Là où Louis-José Houde rejoint directement les concepts de l'humour absurde télévisuel, c'est dans ses petits sketchs enregistrés qui servent de transitions. Ces petits films ont souvent la même structure. Ils commencent avec une petite mise en scène *a priori* anodine du genre : Louis-José est dans un bureau et discute avec ses collègues de travail lorsqu'il se retourne pour s'adresser directement à la caméra en sortant de la diégèse. « Ah ! vous êtes là ?, s'écrie-t-il. Vous savez, avec mon travail, je n'ai pas toujours le temps d'entamer une longue discussion quand je croise une personne au bureau alors j'utilise la face sourcil levé et demi-sourire pour me sortir d'embarras. » Il conclut en regardant la caméra : « Merci face avec sourcils levés et demi-sourire ! » Le tout se termine sur un rire exagérément long et non sincère qui rejoint une caractéristique maintes fois exploitée par l'humour absurde moderne, mais qui demeure toujours efficace.

En plus de faire des petites capsules à la Chick'n Swell, Louis-José exploite relativement bien la notion du « non-rapport », une composante importante de l'humour absurde moderne. Avec ce style, le rire découle toujours d'un contexte ou d'une situation plutôt que d'une simple blague rapide. Même si les gags sont planifiés dans sa tête, on sent moins l'orchestration mécanique de certains numéros humoristiques courants. C'est ce qui donne l'illusion d'un humour plus naturel. Ainsi, au cours de son émission de 30 minutes diffusée chaque semaine, un curieux personnage barbu, torse nu et avec une serviette autour du cou fait une brève apparition à l'écran en arrière-plan, pendant que

Louis-José présente les vidéoclips en faisant abstraction de l'homme en question. Ce qui devient drôle, c'est que le spectateur ne sait jamais vraiment à quel moment de l'émission le personnage loufoque et presque surréaliste va défiler à l'écran. On crée une attente et la surprise réside dans le moment où l'action se concrétise. Quelle est donc la différence entre l'extra-terrestre en g-string de Patrick Groulx et l'homme en bedaine avec une serviette blanche autour du cou de Louis-José Houde ? Aucune, les deux n'ont « aucun rapport » dans le contexte immédiat et c'est le but recherché pour tenter de provoquer le rire chez le spectateur.

Le succès de Louis-José : sa personnalité

Outre son talent naturel de raconteur et sa démarche charismatique, ce qui fait la popularité de Louis-José Houde est probablement son côté sympathique, profondément humain, authentique, un peu naïf et proche des gens. Ces caractéristiques sont propres à une génération qui se « psychologise » et se préoccupe davantage de l'individu certes, mais qui rejoint étrangement la manière d'agir des artisans de l'humour absurde moderne dans la lignée des Chick'n Swell, Patrick Groulx, Bruno Blanchet, Jean-Thomas Jobin et des émissions *Les Appendices* et *Les Pieds dans la marge*. J'inclus aussi dans cette catégorie les Cowboys Fringants et les Trois accords. L'humour absurde moderne serait-il générationnel ?

CHAPITRE IX

Phylactère Cola :
l'humour bédéiste

P our PsychoPat, l'Ami Francis, Strob, Giral, Boo, Brazil, Eddie 69 et Carnior, ces huit bédéistes originaires de Québec, tout commence en 1995, lorsque la télévision communautaire fait appel à eux pour réaliser une série de dix émissions sur la bande dessinée. C'est à cette occasion qu'ils se découvrent une passion pour la caméra et le langage télévisuel et qu'ils s'improvisent à tour de rôle scénaristes, caméramans, interprètes, scénographes, cascadeurs, bruiteurs, réalisateurs. Plus tard, leur complice Pfazgraf se joindra au groupe pour se charger de l'habillage sonore. C'est ainsi qu'ils arrivent à traduire par la vidéo leur esprit de la bande dessinée, donnant naissance par le fait même au concept de *Phylactère Cola*. Ce concept intéresse d'ailleurs Télé-Québec en 1999 mais, pour des raisons financières et particulières, il se retrouvera à l'antenne seulement en janvier 2002 pour remplacer la case horaire de l'émission de Bruno Blanchet, *N'ajustez pas votre sécheuse*. Offrant un produit de qualité tant dans la forme que dans le contenu, *Phylactère Cola* va rapidement réussir à séduire un certain public québécois avant même de se permettre d'aller jusqu'à conquérir une partie du marché international.

L'humour *Phylactère*

Conservant un univers très « bédéiste » comparable parfois à celui des Chick'n Swell mais en beaucoup plus léché, l'humour de *Phylactère Cola*, qui effleure et qui s'allie parfois à l'humour absurde moderne, demeure toutefois beaucoup plus engagé, satirique, corrosif, très noir et s'amuse à dévorer le côté « sombre » de la société. « Plus fignolé ne veut pas dire plus comique. Le groupe revendique le droit de faire de la télé absurde sans qu'elle ne soit nécessairement tordante[1]. » Comme quoi l'humour absurde fusionné à d'autres types d'humour peut s'avérer un outil de dénonciation très efficace. *Phylactère* pose un regard critique, dérisoire et non politisé, sur le cinéma et la société en général. Le groupe a pour cible autant les riches que les pauvres, les beaux et les laids, les vieux et les jeunes, sans oublier les concepteurs eux-mêmes. Bref, *Phylactère Cola* insulte délibérément l'intelligence aussi bien que la stupidité. Les membres du groupe s'inspirent de quiz télévisés, de bandes-annonces de films, de la publicité, des dessins animés, d'émissions et films de série B, de la télé-réalité, de vidéoclips pour faire passer leur message.

On n'a qu'à penser à des sketchs très corrosifs comme *La tranchée s'amuse* où l'on est au beau milieu d'un champ de bataille de la Deuxième Guerre mondiale et le tout prend la forme d'une comédie de situation américaine qui mélange horreur et rires préenregistrés, ou encore un sketch qui traite des organismes génétiquement modifiés par l'entremise d'une histoire fantastique, pour comprendre le style d'humour particulier du groupe. Il se promène entre l'humour noir, la satire sociale, l'autodérision, à l'aide d'un traitement absurde. Certes, les sujets sont aussi à la base très souvent absurdes en soi, ce qui me permet d'inclure *Phylactère Cola* dans cet essai. Le sketch où l'on voit un boucher qui vit dans son auto remplie des pièces de viande le démontre bien. Néanmoins, la critique sociale est souvent plus présente et virulente que dans les blagues absurdes du même genre. C'est la polyvalence des membres du groupe qui fait la force de *Phylactère Cola*.

---

1.   Richard Therrien, « Phylactère Cola, super héros de l'humour absurde », *Le Soleil* (Québec), 21 janvier 2003, p. B1.

Nous ne sommes pas des humoristes, nous sommes des créateurs d'univers, poursuit Psychopat. Nous alternons entre l'humour et la satire sociale. On se compare un peu à la BD, aux spéciaux Spirou où les histoires drôles alternaient avec les histoires plus dramatiques[2].

2. *Ibid.*

CHAPITRE X

3600 secondes d'extase :
l'humour hybride

B asée sur l'actualité politique, sociale et culturelle, l'émission humoristique *3600 secondes d'extase*, diffusée de 2008 à 2011 à Radio-Canada, est en quelque sorte une version plus prestigieuse et peaufinée du laboratoire médiatique qu'était *La fin du monde est à 7 heures*. Elles ont été toutes deux conçues par Marc Labrèche et son grand complice Marc Brunet, à qui l'on doit également les concepts originaux du *Grand Blond avec un show sournois*, de la série *Le cœur a ses raisons* et des *Bobos*.

Lorsque vient le temps de définir le style humoristique de *3600 secondes d'extase*, il est pratiquement impossible de le cloisonner dans une seule catégorie tellement il est riche et diversifié. Tout d'abord, l'émission est animée par le polyvalent et toujours inclassable *entertainer* Marc Labrèche en plus d'être complétée par une brigade de chroniqueurs et de personnages loufoques offrant une palette humoristique variée. On n'a qu'à penser à Paul Houde, Bruno Blanchet, Pierre Brassard, Patrice Coquereau ainsi qu'André Sauvé, à qui je consacrerai le prochain chapitre.

Entre absurde et satire

Avec son utilisation abondante de l'absurde comme outil de critique et de satire sociale, je pourrais être tenté de vouloir classer cette émission hybride sous la bannière de l'humour absurde moderne social, un peu à l'image de l'humour absurde que l'on retrouve avec *Phylactère Cola* et ceux qui ont été mentionnés précédemment dans ce bloc. Toutefois, comme les sujets qui alimentent l'émission *3600 secondes d'extase* sont généralement pris à même l'actualité, l'autre réflexe serait de dire qu'elle ne répond pas à la première règle de l'humour absurde moderne, soit de faire appel à des sujets aussi absurdes que leur traitement. Conclusion hâtive ? Que faire ? Après avoir réfléchi longuement sur la question, c'est en analysant le contenu global de l'émission fortement teinté d'absurde que j'ai finalement décidé de l'inclure sous la bannière de l'humour absurde social. Du même coup, *3600 secondes d'extase* représente donc à mes yeux les frontières de cette forme d'humour absurde moderne qui se démarque de l'ironie et de la satire pure.

Pourquoi cette décision ? Dans un premier temps, parce que cette émission répond à la définition même de ce que je qualifie d'humour absurde moderne social où l'humoriste transpose sa bulle imaginaire sur la scène publique en imposant son propre monde absurde et en rentrant dans l'espace vital de l'autre. Ainsi, dans le contexte parfois surréaliste de *3600 secondes d'extase*, Marc Labrèche exerce une certaine contamination du réel en imposant sa propre réalité au public qui assiste à l'enregistrement, et ce en tenant un discours sur des nouvelles de l'actualité parfois fictives, parfois déformées, tout en conservant un brin de satire. À l'époque de *La fin du monde est à 7 heures*, la dynamique était différente, car l'émission était enregistrée en studio et l'humour nouveau genre qui y était présenté, particulièrement avec Bruno Blanchet, n'était pas considéré grand public. Avec le temps, le public s'est peu à peu habitué aux mécanismes de cette forme d'humour et, du même coup, l'humour de *La fin du monde* a su sortir de sa coquille pour maturer et devenir plus « séducteur ». La preuve est que l'humour que l'on retrouve dans *3600 secondes d'extase* se veut plus inclusif et moins hermétique. Le simple fait d'enregistrer l'émission devant public témoigne de ce désir d'interagir avec l'autre. D'ailleurs, lors de la première saison, Marc Labrèche et son équipe se déplaçaient même dans le salon de monsieur et madame Tout-le-monde pour la captation de l'émission. Ce concept s'est avéré toutefois trop complexe technologiquement et a été abandonné pour les saisons suivantes.

Pierre Brassard et l'humour absurde chaotique

Dans un deuxième temps, je qualifie *3600 secondes d'extase* d'absurde moderne, car plusieurs chroniqueurs, dont Pierre Brassard et sa chronique chaotique ainsi qu'André Sauvé, viennent équilibrer le portrait humoristique de l'émission en lui donnant une saveur très absurde. Le style employé par Brassard cadre parfaitement avec les mécanismes de l'humour absurde moderne. Dans le segment de l'émission qui lui est consacré, il offre l'illusion d'une chronique standard, mais celle-ci sombre rapidement dans l'absurde et le non-sens avec des associations de concepts et d'anecdotes fictives qui n'ont absolument aucun lien entre elles. Le discours coule bien et est intelligible aux oreilles du téléspectateur, mais le chemin parcouru et le rapport de cause à effet deviennent irrationnels. Le rire découle de ces énonciations en rafale qui n'ont ni queue ni tête et qui sont souvent «sans réelle pertinence». On n'a qu'à penser à la désormais classique capsule «Potins Plateau», où Brassard nous offre un méli-mélo de potins de vedettes québécoises provenant de l'arrondissement du Plateau-Mont-Royal, ou encore à ses expériences musicales pas toujours concluantes avec le logiciel Garage Band de Macintosh. Encore ici, ce sont les réactions d'un Marc Labrèche parfois dérouté par le discours décousu et hilarant de Pierre Brassard qui rehausse la valeur du gag en question. Tout cela n'est pas sans rappeler la dynamique entre un certain Bruno Blanchet et Marc Labrèche à l'époque de *La fin du monde est à 7 heures*… C'est donc pour toutes ces raisons que je m'autorise à apposer l'étiquette d'humour absurde moderne à l'émission hybride qu'est *3600 secondes d'extase*.

Conclusion du bloc 3

Après ce portrait hétérogène de ces humoristes de l'absurde social, puis-je réellement affirmer que cette forme d'humour prend position ou véhicule un message social direct ? Lorsqu'un humoriste de cette catégorie s'attaque à quelque chose dans la société au moyen de la satire, est-il exact de dire qu'il fait encore de l'absurde ? Ne sommes-nous pas tout simplement dans l'ironie, le cynisme et tous les autres types d'humour social qui conservent, cependant, une enveloppe «absurde» pour caraméliser le tout ? Car, en humour au Québec, pour ne pas choquer le public ou être mal vu, il est rare que l'on puisse rire de quelqu'un méchamment ou d'une entreprise quelconque. Il n'est pas nécessairement bien vu non plus de parler de sexe de manière explicite et gratuite ou de faire des blagues scatologiques vulgaires trop souvent associées à l'immaturité. Ainsi, l'humour absurde moderne répond en quelque sorte à ces caractéristiques en offrant un humour différent, mais à la fois politiquement correct. Entre l'humour de société plus vulgaire et l'humour médiatiquement acceptable, un jeune professionnel qui commence dans ce milieu a beaucoup moins de risques de se compromettre s'il possède l'étiquette «absurde», car il ne prend pas position ouvertement pour quelque chose. Il devient trop flou et bizarre pour être attaqué et controversé. C'est exactement la méthode qu'utilisait Eugène Ionesco lorsqu'il était chroniqueur pour un journal sous l'empire allemand en faisant appel à l'absurde dans son style d'écriture pour échapper à la censure des autorités et ainsi véhiculer certains messages. De nos jours, même si l'humour absurde ne semble plus avoir délibérément de second degré, il conserve néanmoins ce masque qui lui permet de faire ou d'être ce qu'il veut sans être «jugé» et d'y glisser certains messages à l'occasion.

Les interrogations soulevées dans le dernier segment font surgir à nouveau la question préliminaire du chapitre I : « Qu'est-ce que l'humour absurde moderne ? » En humour, tout n'est jamais seulement noir ou blanc, alors il est normal d'assister à la fusion de plusieurs styles. Si l'émission hybride *3600 secondes d'extase* qui se retrouve à cheval entre l'absurde et la satire représente cette frontière, qu'est-ce qui n'est donc pas considéré comme étant de l'humour absurde moderne ? Le prochain chapitre aidera peut-être à répondre à cette question à l'aide d'un pot-pourri d'artisans et de concepts qui se rapprochent du genre en question sans être assez significatifs pour être classés sous la bannière de l'humour absurde moderne.

Bloc 4

Humour absurde moderne québécois : pot-pourri des non-classés

Certes, faire un ouvrage sur l'absurde moderne implique non seulement de s'attarder à ces principaux artisans, mais aussi de se tenir à l'affût des nouveaux talents qui émanent et qui nourrissent le paysage fleurissant de l'humour absurde au Québec. Cependant, comme il suffit, selon moi, de se concentrer sur les chefs de file décrits précédemment pour comprendre l'essentiel des mécanismes humoristiques, je ne les décortiquerai pas tous explicitement. C'est pourquoi j'ai créé une catégorie pot-pourri dans laquelle j'aborde certaines émissions ou certains artistes de la relève qui complètent le portrait 2012 de l'humour absurde au Québec. Toutefois, pour des raisons de styles qui ne cadrent pas tout à fait dans cet essai, ou pour une raison de popularité parfois un peu moins grande, je ne développerai pas davantage.

Chapitre XI

André Sauvé : la « folie » entre parenthèses

C ertains humoristes, grâce à leur polyvalence, naviguent à travers plusieurs types d'humour et deviennent ainsi plus difficiles à catégoriser. Sans enlever la richesse et la complexité des autres styles, c'est un peu le cas d'André Sauvé. Prenant racine dans l'absurde, l'humour disjoncté de Sauvé oscille entre le cérébral, l'existentialisme profond et le social, tout en étant empreint de philosophie et d'une lucidité excessive au service d'une cause : le fonctionnement de l'humain ! À ses débuts, on le décrivait d'ailleurs sur le site officiel du festival Juste pour rire comme étant :

> un jeune comédien-humoriste fasciné par l'être humain, par ses manies, ses habitudes, par ses conditionnements qui le maintiennent endormi, mais surtout par les situations qui viennent chatouiller cette anesthésie. Ce qui le captive, ce n'est pas la complexité du grand rouage, mais le petit grain de sable qui le fait grincer[1].

Sur l'affiche de son dernier spectacle, on le voit avec sa chevelure électrisante qui n'est pas sans rappeler celle d'un certain Einstein. Il arbore un regard teinté de folie comme si l'on voulait donner au public l'image de quelqu'un qui est « différent de nous ». D'ailleurs, tel l'archétype du savant fou de qui l'on pourrait

---

1. Site Internet du festival Juste pour rire 2005, en ligne, fiche d'André Sauvé, http://www.hahaha.com/fr/2005/festival/humoristes/sauve-andre.html.

presque s'attendre qu'il nous révèle l'équation du «chaos», Sauvé verbalise des concepts abstraits et «simples» à la fois pour les décortiquer de manière chirurgicale, un peu comme Jean-Thomas Jobin peut le faire, mais en cherchant à leur donner du sens plutôt que de vouloir perdre le spectateur pour simplement le dérouter. Ainsi, aux côtés de Marc Labrèche dans sa chronique à l'émission *3600 secondes d'extase*, que ce soit pour décrire ce qu'est un trou ou un adverbe ou pour définir le concept de début et de fin, André Sauvé se veut un observateur de la globalité, un spécialiste en tout et à la fois en rien qui redonne de la saveur à la «banalité» avec une touche philosophique. Avec tant de profondeurs et de choses à dire sur des sujets aussi «simples», le tout devient absurde aux yeux du spectateur qui se dit en riant : «Ça n'a pas de bon sens, ça me sert à quoi de savoir tout ça?» Cette avalanche d'informations, souvent révélées avec un rythme effréné, sporadiquement entre-coupées de faux tics nerveux, crée un paradoxe entre le fait qu'il soit calme et en contrôle de lui-même et le débit rapide employé. Ce paradoxe rend la situation comique et l'animateur Marc Labrèche a souvent été pris d'un rire à la fois intrigué et admiratif du «génie fou» qu'est Sauvé.

André Sauvé parle aussi vite que ses connexions neuronales, mais son style et sa force résident également dans le fait de raconter une histoire *a priori* banale et d'y greffer une multitude de paren-thèses. Celles-ci n'ont généralement aucun lien avec le contexte de la situation, mais elles finissent par prendre plus de place que le fil conducteur lui-même pour ultimement y revenir afin de boucler la boucle. «Tout ce chemin pour en arriver là?», se dit le spectateur en riant. Comme quoi le chemin que l'on prend est plus important que la destination! Ainsi, à l'image de la vie, André Sauvé possède l'art de démontrer que l'addition de détails disparates sans lien finit par s'emboîter et avoir du sens : le sens global que l'on veut bien lui donner. Après tout, «c'est la vie qui est absurde[2]», révèle-t-il.

---

2.   André Sauvé, témoignage sur l'humour, rencontre à Joliette, 27 mai 2011.

Un humour lucide et «complet»?

André se fait connaître du monde de l'humour pour la première fois avec son passage à l'émission *Les pourris de talent* animée par les Denis Drolet à Musique plus en 2005, où il reprend d'une façon surréaliste un poème d'Émile Nelligan : *Soir d'hiver*. Frôlant le concept du «n'importe quoi», ce genre de numéro se retrouve sous la bannière de l'humour absurde cérébral, mais catégoriser un humoriste à partir d'un seul numéro serait quelque peu simpliste. En effet, car, lorsqu'on s'y attarde plus en détails, on remarque que l'humour particulier d'André Sauvé est profondément imprégné du contexte psychosocial actuel expliqué au chapitre II. Ce contexte se reflète quasi explicitement dans son dernier spectacle. Excessivement conscient de ce qui l'entoure et de ce qui se passe dans sa tête, André Sauvé exprime de manière absurde ce qu'il y a au fond de lui. De l'angoisse de la mort à la difficulté de faire des choix, en passant par l'importance du moment présent et de la quête du bonheur, les sketchs de son spectacle révèlent implicitement une grande psychologisation de l'individu.

On n'a qu'à penser au sketch de l'épicerie où le personnage transforme le magasinage d'un produit alimentaire anodin en véritable drame existentiel parce qu'il doit choisir parmi un vaste éventail de marques de céréales. «Je ne suis pas capable de choisir… Je revoyais ma vie comme un échec[3]!» Toutefois, le sketch du spectacle qui exprime le mieux, à mon avis, l'exemple du concept de psychologisation de l'individu est celui qui met en scène un conseiller de vie faisant la promotion d'une nouvelle thérapie appelée le *chair lifting*. Ce numéro n'est pas sans rappeler l'humour absurde psychoaffectif des Chick'n Swell. Le *chair lifting* consiste à prendre conscience de chacune des étapes qu'une personne doit traverser lorsqu'elle se lève d'une chaise. Ultimement, dans cette pratique, lorsque la personne se tient debout dans la position du roseau, elle doit crier haut et fort le mot «moutarde» afin de se libérer de toutes les énergies négatives. Le thérapeute joué par

---

3. André Sauvé, citation approximative tirée de son spectacle du 27 mai 2011, à Joliette.

André Sauvé met l'accent sur le fait qu'il faut oublier la signification du mot « moutarde » si l'on veut pouvoir s'en affranchir et conserver l'état libérateur. Un peu comme Ionesco pouvait le faire, il cherche de cette façon à redonner virginité au langage. L'absurdité de la situation atteint son paroxysme quand il fait participer les gens de la salle à une séance de *chair lifting* et que tout le monde se lève en même temps pour crier les syllabes « mou-tar-de » ! Encore une fois, le comique survient du décalage créé entre le sens réel du mot et le contexte dans lequel il est dit.

Un pont générationnel ?

Bien qu'il ne soit pas très éloigné de la branche de ses confrères de l'humour absurde moderne par ses mécanismes et son côté « humaniste », l'humour éclectique d'André Sauvé se veut quelque peu différent. Peut-être est-ce simplement générationnel, mais on remarque que les sujets employés par celui-ci ne sont pas toujours aussi absurdes que le traitement utilisé, ce qui ne me permet pas de classer l'humoriste dans l'un des trois grands blocs de l'absurde moderne. Son style possède davantage d'atomes crochus avec l'humour absurde de Claude Meunier ou de Pierre Légaré par exemple. Même s'il ne trouve pas totalement sa niche dans les trois grands blocs, ne pas parler d'André Sauvé dans cet ouvrage aurait été passer à côté d'une richesse de contenu sur le plan psychosocial, car l'humoriste reflète à sa manière cette psychologisation de l'individu. De plus, sur le plan individuel, il est l'exemple parfait de la personne qui ressent le besoin viscéral d'exprimer et « d'expulser » l'énergie qui se trouve au plus profond de ses tripes, une énergie qu'il canalise à travers l'humour. À cheval entre plusieurs styles, André Sauvé représente-t-il le chaînon manquant entre deux générations d'humour absurde ?

Chapitre XII

Le cœur a ses raisons : absurde ou satire ?

Forcé de reconnaître la popularité grandissante de l'humour absurde au Québec au cours des dernières années, le réseau TVA a aussi décidé de suivre le mouvement et de s'y adapter en proposant des émissions teintées d'absurde, telles que le *Sketch Show* et *Le cœur a ses raisons*. Le *Sketch show* est un concept importé d'Angleterre, berceau même de l'absurde et dont le style d'humour est fortement imprégné de celui des Monty Python. D'ailleurs, on reconnaît que ces derniers sont l'inspiration première de plusieurs humoristes de l'absurde québécois d'aujourd'hui. Le *Sketch show* met en vedette Sylvain Marcel, Emmanuel Bilodeau, Réal Bossé, Édith Cochrane et Catherine de Sève dans une rafale de sketchs allant de 12 secondes à 2 minutes, tournés autant en studio que sur des sites extérieurs, mais qui n'ont toutefois pas été écrits par les mêmes personnes. L'humour absurde, parfois grinçant, soutenu par des dialogues percutants que l'on retrouve dans l'émission, recoupe quelque peu celui de l'absurde moderne. Cependant, comme il s'agit d'un concept britannique dont la majorité des textes sont adaptés pour le Québec, j'ai préféré ne pas l'inclure dans cette analyse.

Le cœur a ses raisons

Il est difficile ici de ne pas tenir compte de l'émission *Le cœur a ses raisons* qui, guidée par l'humour dérisoire et absurde d'un Marc Labrèche au sommet de son art, toujours aussi charismatique et entouré d'une brochette d'acteurs talentueux, a su conquérir le cœur de plusieurs Québécois et Français. Bien qu'il soit fort absurde par endroits, ce concept télévisuel se veut avant tout une satire des feuilletons américains léchés et mal traduits qui monopolisent nos canaux de télévision l'après-midi en semaine. Dans cette fiction, la mission est d'exagérer un style qui est déjà à la base fortement exagéré. C'est ainsi que tout y passe : les attributs corporels démesurés, les faux raccords, les ellipses de temps impossible, le jeu des acteurs au regard exagérément soutenu pour ajouter du drame là où il n'y en a pas. Les intrigues tordues et les rebondissements chaotiques sont le fruit de l'imagination de l'auteur et metteur en scène, Marc Brunet, sans oublier la participation de Marc Labrèche au concept original. Ce qui devient intéressant, c'est d'analyser la fusion des styles humoristiques utilisés pour offrir un produit à la fois parodique et unique, mais dont le genre rappelle parfois un humour américain des années 1980 et 1990 sorti tout droit des comédies telles que *L'Agent fait la farce*, *Top Secret*, *Y atil un pilote dans l'avion ?* et *Des pilotes en l'air*. Cette fusion entre un humour plus « classique » qui comprend certains gags « réchauffés » mais toujours efficaces (attribut hors normes, faux raccords, etc.) et un humour traduisant la montée de l'absurde moderne (long silence ou répétition de la même scène créant un « malaise » télévisuel, souci du détail inutile qui devient chaotique, scène hautement dramatique, histoire sans queue ni tête) ressemble parfois à l'humour des Chick'n Swell ou celui de RBO dans *Zizanie*. Je reconnais que *Le cœur a ses raisons* est un projet parfumé d'humour absurde moderne et qu'il répond aux besoins d'éclatements des frontières des « normes » humoristiques. Or, comme il s'agit avant tout d'une parodie d'un style télévisuel précis, je ne suis pas certain qu'il peut exprimer la même chose que l'humour des Denis Drolet ou celui de Bruno Blanchet, par exemple.

CHAPITRE XIII

La musique teintée d'absurde moderne

J'ai abordé cette thématique lorsque j'ai décrit le style «humoristico-musical» des Denis Drolet. Je crois cependant qu'il vaut la peine d'en discuter davantage pour venir en aide aux personnes qui confondent certains artistes de la scène musicale avec la notion d'absurde. En fait, l'humour absurde qui contamine le Québec à l'heure actuelle s'infiltre aussi dans les textes de certains groupes de musique très populaires, qui ne s'efforcent pas nécessairement d'être des humoristes. Ils sont reconnus davantage pour leurs talents musicaux, ce qui me force à ne pas les considérer comme des pièces maîtresses de cet essai. Toutefois, une petite analyse psychosociale de la situation permet de mieux comprendre le contexte générationnel dans lequel l'humour absurde est plongé.

Musicalement parlant, qu'ont donc en commun des groupes québécois comme les Denis Drolet, les Trois Accords, Crampe en masse, les Cowboys Fringants et les Frères Goyette? Au fond, leur musique est festive, joyeuse, «naïve», rythmée et possède des refrains accrocheurs dérivés du country, du folk, du rock ainsi que des paroles complètement débridées qui se marient bien avec la philosophie hédoniste actuelle: projeter une image heureuse, avoir le sourire, prendre la vie à la légère. Les textes sont souvent très absurdes, l'inspiration surréaliste est tirée d'une caricature de personnages «vieux jeu» des années 1970-1980, la rime semble «facile» et la poésie plus directe. Elle s'apparente au hip hop, sans grande métaphore, tout en demeurant efficace. On se dévoile peu derrière ses chansons et l'on se cache toujours derrière le masque de la dérision pour passer une émotion quelconque. L'humour passe grâce à la musique joyeuse. Toutefois, si la musique est plus mélancolique et triste, les paroles s'adaptent en conséquence pour compenser «l'orgueil» qui se dévoile et le taux d'absurdité risque d'augmenter afin de conserver le ratio musique/humour. C'est le cas de la chanson *Léopold* des Cowboys Fringants qui raconte l'histoire d'un homme qui tombe en amour avec un autre homme ou de la ballade nasillarde *Saskatchewan* des Trois Accords dans laquelle le chanteur se «plaint» d'avoir perdu sa femme aux mains d'un fermier des plaines.

Les mécanismes généraux de l'humour absurde en musique

Depuis toujours, l'humour est souvent associé à la «bonne humeur». La musique employée doit donc être davantage rythmée et festive pour créer un état facilitant la réception humoristique des paroles. Au Québec, probablement influencés par les Américains et la musique traditionnelle, on fait souvent appel aux sonorités *country rock folk* pour ce mode de communication. On a qu'à penser à la populaire *Petite Grenouille* d'André Guitar, qui est devenue un classique en soi, ou encore à l'humour «nouveau genre» des Cowboys Fringants et des Frères Goyette, pour constater le phénomène. Certes, il y a des exceptions et il est possible d'utiliser d'autres styles de musique comme le hip hop (Les Pas fiables), le punk rock (les Trois Accords) ou la musique pour enfant, mais, dans tous les cas, l'hymne à la fête demeure à l'avant-plan. Les Denis Drolet ont d'ailleurs la même formule joyeuse, sauf que leurs textes n'ont pas d'idée maîtresse continue et ne répondent qu'à une suite d'énumérations d'éléments n'ont *a priori* aucun lien sémantique. C'est l'illogisme de ces relations en rafale qui crée l'absurdité. Il suffit de se référer aux points mentionnés au chapitre IV pour mieux comprendre la nature de leur humour.

La question que je me pose à ce stade est celle-ci : est-ce que l'humour absurde des Denis Drolet aurait le même effet avec un style de musique plus sombre où l'intonation serait la plus neutre possible ? L'effet serait-il le même ? Pourrait-on en rire ? Certes, l'humour des Denis est très littéraire, mais la ligne est mince et le terrain est glissant dans l'art de rendre ce type de poésie.

Conclusion du bloc

Bien qu'ils soient influents pour la culture québécoise, les artistes énumérés dans ce présent bloc ne font pas partie intégrante de ma principale interrogation : quel est le sens de l'humour absurde moderne ? Ils sont un complément et un dérivé de l'absurde moderne sans être toutefois assez « purs » selon mes critères de sélection. Ainsi, après avoir dressé un portrait des humoristes absurdes et des « non absurdes », à l'instar d'un numéro d'André Sauvé, fermons plutôt cette grande parenthèse et revenons à nos moutons pour aborder le prochain chapitre qui sera consacré à une analyse psychosociale générale et simplifiée, afin de répondre à la question principale d'une façon plus détaillée.

Bloc 5

Analyse psychosociale de l'humour absurde moderne québécois

Chapitre XIV

Le sens de l'humour absurde moderne

A près ce portrait et la démythification des types d'humour absurde moderne, je reviens à une analyse psychosociale plus générale du style en question, en tentant de définir plus concrètement ce qu'il cherche à exprimer. Pour ce faire, je vais d'abord dresser un tableau synthèse montrant les points communs qui caractérisent le style humoristique de l'absurde moderne, toutes catégories confondues. Un deuxième tableau, plus analytique cette fois, tentera de répondre à la question suivante : l'humour absurde moderne : une fuite ou un combat ? Ce tableau sera à la fois récapitulatif et démonstratif. Je donnerai aussi des informations complémentaires appuyées par des citations d'humoristes tirées lors de mon entretien avec les Chick'n Swell, Jean-Thomas Jobin, Louise Richer et l'auteur Pierre-Michel Tremblay, avant de terminer avec un bref retour sur mes trois pistes de recherches initiales.

Les points communs de l'humour absurde moderne québécois

Voici un tableau qui renferme l'éventail des similitudes entre les humoristes de l'absurde actuel. Qu'ont donc en commun les Denis Drolet, Bruno Blanchet, les Chick'n Swell, Jean-Thomas Jobin et compagnie ? La figure 14.1 répond bien schématiquement à la question en reprenant des concepts exposés dans les chapitres précédents :

FIGURE 14.1
Les points en commun de l'humour absurde moderne québécois

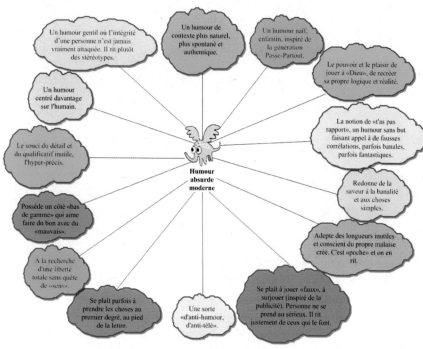

Analyse psychosociale de l'humour absurde moderne québécois

Sans reprendre un à un les éléments de la figure 14.1, derrière l'énumération de ces points communs se cache la clef qui me permet de répondre à la question principale. Parfois évidente, parfois plus subtile et profonde, l'analyse de ces concepts communs révèle au grand jour la philosophie de l'humour absurde moderne que je schématise dans la figure 14.2. Pour ce faire, je sépare en deux grandes sections les aspects psychosociaux de l'humour absurde moderne en les catégorisant sous les bannières de la «fuite» ou du «combat». Je reviendrai par la suite en détail sur chacun des éléments du schéma, en tentant de faire un parallèle entre les deux figures.

FIGURE 14.2

Analyse psychosociale générale de l'humour absurde moderne québécois

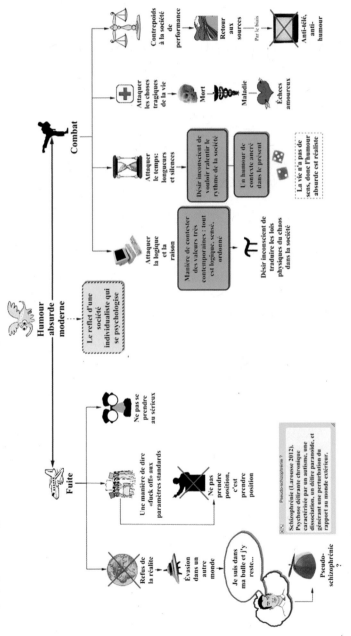

L'humour absurde moderne québécois : une fuite ?

Aux yeux de certains, l'humour absurde moderne semble être avant tout un refuge, « un refus de la réalité telle qu'elle est[1] ». Ce plaisir de jouer à Dieu, de recréer sa propre logique, sa propre bulle imaginaire hermétique, serait quelque chose de très sécurisant pour une personne. C'est pourquoi je fais un rapprochement intrigant entre l'humour absurde et la définition du mot schizophrénie. L'humoriste absurde moderne serait-il réellement un « malade apparemment indifférent à ce qui l'entoure qui s'isole du monde extérieur trop frustrant en se réfugiant dans un univers fantasmatique[2] » ? Simon-Olivier Fecteau des Chick'n Swell renchérit avec cette affirmation : « Il y a de quoi dans l'air qui fait qu'on a besoin de sortir de la réalité. Au niveau des images, de la déconstruction, on a besoin de plus[3]. »

Fait intéressant, la génération des humoristes de l'absurde moderne est sensiblement la même que celle qui est née avec les jeux vidéo. On a qu'à penser aux petits jeux interactifs absurdes qui se retrouvent sur le site des Denis Drolet ou à ceux un peu plus perfectionnés offerts sur le site des Appendices pour constater des atomes crochus entre l'humour absurde moderne, le ludique et la fuite. Selon Roger Caillois, auteur du livre *Des jeux et des hommes*, et Freud, « le jeu est une "autre scène", dotée d'un temps et d'un espace propres, sur laquelle le sujet échappe aux contraintes du principe de réalité [...]. Sociologiquement, la réalité à laquelle s'oppose le joueur est celle des contraintes liées au travail et aux hiérarchies, à la famille et aux responsabilités[4]. » En créant sa réalité, l'humour absurde s'amuse donc à inventer ses propres règles de logique et à contrôler cet univers tout comme peut le

---

1. Pierre-Michel Tremblay, témoignage sur l'humour absurde, Montréal 20 juillet 2005.
2. *Le Larousse Sélection, Vol. 1, Nouveau Petit Larousse en couleur*, éd. 1968, Reader's Digest, Montréal, Librairie Larousse, p. 343.
3. Simon-Olivier Fecteau, témoignage sur l'humour absurde, Montréal, 20 juillet 2005.
4. Marc Valleur et Jean-Claude Matysiak, *Sexe, passion et jeux vidéo : les nouvelles formes d'addiction* (citation de Roger Caillois et Freud), Paris, Flammarion, mai 2003, p. 175.

faire le joueur d'un jeu vidéo qui, avec sa manette, exerce un contrôle sur une réalité parallèle. C'est un monde virtuel souvent fantasmé où tout peut arriver car rien n'est vrai. En comparaison avec le jeu vidéo, l'humour absurde serait en quelque sorte un véritable exutoire quasi cathartique !

C'est l'indifférence et le désir de vouloir sortir de la réalité peut-être, mais cette apolitisation de l'humour qui s'évade vers un autre un monde révèle indirectement quelque chose de très intéressant en soi : ne pas prendre position, c'est en quelque sorte prendre position. C'est la pertinence de détourner son attention vers ce qui n'est pas pertinent. Nourrir l'indifférence par l'indifférence serait donc devenu une manière de répondre à une désillusion générationnelle à l'égard de la réalité ?

> L'humour absurde est une manière de dire « fuck off » à tous les paramètres de ta vie. Je « fly » et je fuis dans une folie. […] « Fuck » les paramètres, mais pas « fuck » les autres, c'est un désir de se faire du bien à nous et aux autres[5].

Toujours sous la bannière de la « fuite », dans la figure 14.2 je classe aussi cette facette de l'humour absurde moderne qui, par la surdramatisation ou la volonté de jouer « faux », ne cherche jamais à se prendre au sérieux. C'est un peu comme si l'absurde voulait rester inatteignable. « Tout dire, mais ne pas se prendre au sérieux, l'humour personnalisé est narcissique et il est autant un écran protecteur qu'un moyen cool de se mettre en scène[6]. »

La citation de Jean-Thomas Jobin illustre bien la philosophie de l'humoriste absurde moderne : « Chaque fois que j'arrive pour faire une "joke" standard, il faut que je sois ironique, sinon je ne me sens pas moi-même[7]. »

---

5. Daniel Grenier, témoignage sur l'humour absurde, rencontre à Montréal, 20 juillet 2005.

6. Gilles Lipovetsky, *L'Ère du vide : essai sur l'individualisme contemporain*, Paris, Gallimard, 1983, p. 230.

7. Jean-Thomas Jobin, témoignage sur l'humour absurde, rencontre à Montréal, 20 juillet 2005.

L'humour absurde moderne québécois : un combat ?

Rébellion culturelle inconsciente bien plus qu'une simple révolte explicite, l'humour absurde peut paraître aux yeux de certains, à un second ou troisième degré, cinglant et révélateur de certains besoins plus primaires.

Attaquer la logique et la raison

« Si votre voiture fait un drôle de bruit, c'est peut-être parce qu'il y a un clown dans le moteur[8]. » S'en prendre à la logique et au bon sens en utilisant l'absurde est une façon de contester indirectement des valeurs très contemporaines d'une société compétitive où tout est sensé, programmé, calculé, ordonné et logique. Plus que ça, c'est même un désir inconscient de vouloir traduire les lois physiques du chaos dans la société afin de laisser émaner la vie du désordre. Recréer l'illusion du hasard par des notions de « non-rapport », de fausses corrélations et de l'hyper précis vient combler un besoin de liberté absolue. Bref, les humoristes de l'absurde réclament le besoin d'être déroutés, de retrouver le plaisir d'être déstabilisés. « J'ai tellement besoin d'être surpris que, des fois, on fait des *jokes* avec un 94e degré... Si je ris de ça, je ne peux plus rire d'une *joke* de Mario Jean[9]. »

À mon sens, cette vision chaotique de l'humour traduit inconsciemment aussi la vision que certaines personnes ont face à leur propre existence sur terre.

C'est une inspiration à partir de *flashs*, quand j'écris je ne sais pas toujours où je m'en vais, je me laisse guider par l'histoire. Par moments ça dévie, et je me laisse guider par cette déviation[10].

D'un point de vue observateur, la génération à laquelle j'appartiens semble avoir cette caractéristique de vouloir se laisser guider par les événements et de croire en la vie sans nécessairement

---

8. René Côté, *L'île de rien*, 2002, en ligne, site consacré à Bruno Blanchet, www.ilederien.com/bruno/lfdm/lfclown.htm.
9. Jean-Thomas Jobin, témoignage sur l'humour absurde, rencontre à Montréal, 20 juillet 2005.
10. *Ibid.*

avoir de convictions ou de buts ultra précis tout en cherchant à en profiter au maximum. Le chanteur Pépé et sa guitare, plus ironique qu'absurde, traduit bien le mode de pensée de cette génération dans l'un de ses couplets :

> J'essayerai pas d'vous expliquer
> Le bien le mal, c'est compliqué
> Moi je change d'idée aux deux secondes
> J'essaie juste de capter les bonnes ondes[11]

L'absurde moderne serait donc une forme d'humour qui s'acclimate bien avec cette philosophie en proposant un humour plus «naïf», ludique et spontané. Cette spontanéité de l'absurde moderne permet justement d'enchaîner avec la prochaine cible : le temps.

Attaquer le temps : les longueurs et les silences «inutiles»

Véritable cible commune de l'humour absurde moderne, plus particulièrement avec Bruno Blanchet, les Chick'n Swell et Patrick Groulx, les longueurs et les silences prolongés laissent place à des «malaises» télévisuels contrôlés. Au-delà de la simple anarchie et de l'envie de faire de l'anti-télévision, cette attaque au «temps» masque plutôt un désir inconscient de vouloir ralentir le rythme effréné de la société dans laquelle nous sommes, d'appuyer sur pause et de laisser la vie nous parler simplement. C'est en ce sens que l'humour absurde moderne donne l'illusion d'être plus spontané.

Quoi qu'il en soit, une caractéristique propre à l'humour absurde est qu'il est, dans pratiquement tous les cas, un humour de contexte ancré dans le présent. C'est un humour «là maintenant» qui ne demande pas à la mémoire de recréer un contexte, mais plutôt de se laisser embarquer et de vivre le moment présent, traduisant, une fois de plus, la philosophie de la société hédoniste actuelle. «Avec l'humour absurde, tu ne peux pas te souvenir que

---

11. Pépé et sa guitare, 2005, *Fakek Chose*, Montréal, La tribu, paroles de la pièce *La Mission*.

tu as fait ça, car c'est autoréférentiel. Le "c'est donc vrai qu'on est de même" n'est pas le but de l'absurde[12]». Je dirais même plus : l'absurde cherche à rassurer le spectateur, à lui prouver qu'il est différent de ce qu'il voit sur la scène ou à la télévision.

Attaquer les choses tragiques de la vie

Bien qu'il se distingue de son précurseur l'absurde classique, l'humour absurde québécois moderne, plus particulièrement l'absurde psychoaffectif, demeure toutefois intimement lié à la profondeur humaine. Cet humour entre le noir et l'absurde agit comme mécanisme de défense en se moquant de ce qui nous dépasse afin de conserver un certain équilibre psychique et ainsi de tenter d'«apaiser» l'angoisse existentielle. Traiter et rire de sujets délicats, comme la mort, la maladie et les échecs amoureux, répond à des besoins latents de la société. «Si je fais de l'angoisse dans la vie de tous les jours, mon humour va chercher à exprimer cette angoisse réelle[13].»

C'est particulièrement avec les Chick'n Swell, dont le style humoristique fait appel à un type d'absurde qui découle d'une exagération émotive par rapport à une situation donnée, que l'on peut apprécier cette attaque aux choses tragiques de la vie. «Attaque» est peut-être un terme mal choisi dans le contexte, car je considère qu'il s'agit plutôt d'une véritable valorisation de l'affectif et de la psychologisation de l'humain en question. L'omniprésence de personnages de psychologues, de thérapeutes et de médecins dans leurs petits films témoigne de cet intérêt marqué pour l'existentiel.

L'humour absurde moderne : un contrepoids

De manière générale, je crois que l'humour absurde moderne exerce en réalité un contrepoids à une société de performance axée

---

12. Pierre-Michel Tremblay, témoignage sur l'humour absurde, rencontre à Montréal, 20 juillet 2005.
13. Simon-Olivier Fecteau, témoignage sur l'humour absurde, rencontre à Montréal, 20 juillet 2005.

sur la compétition en proposant un retour à la simplicité, aux valeurs plus humaines et en redonnant de la saveur à la «banalité». Un homme qui pleure la mort de sa mouche domestique ou de son amie la banane géante a quelque chose d'humoristique en soi, mais aussi de fondamentalement humain : émouvoir pour mieux rejoindre l'individu. Ce type d'humour laisse transparaître cette quête d'amour véritable, d'amitié sincère et cette soif d'authenticité tant brimée par la société actuelle. À l'ère du faux et de l'artificiel, aurait-on besoin de plus de vrai? «Une société de performance, mais au diable, avec l'humour absurde, nous on revient à des idées simples de partage et de valeurs plus humaines[14].»

Quoi de mieux que d'utiliser un côté «bas de gamme» pour faire l'éloge de la simplicité, de l'originalité et de l'anti-performance? C'est un peu pourquoi cette culture du rudimentaire est très populaire chez les humoristes de l'absurde tant chez les Chick'n Swell, Bruno Blanchet, les Denis Drolet, Patrick Groulx que Jean-Thomas Jobin. De plus, c'est à travers cette anti-télévision, ce côté bon marché et amateur, qu'ils arrivent à véhiculer plus facilement cette authenticité recherchée et cette illusion de la spontanéité. Au fond, l'humour absurde moderne cherche tout simplement à exprimer le reflet d'une société individualiste, hédoniste, qui se psychologise de plus en plus. «Pour moi, la création est un jeu, l'absurde est un jeu et je vois la vie comme un jeu aussi. [...] Si je peux gagner ma vie en jouant et que les gens aiment ce que je fais, je suis heureux[15].»

Dans une société où l'individu redevient le centre d'attention, où le plaisir est une «nécessité» et où être à l'écoute de soi se révèle primordial, il est «normal» que les cibles des humoristes de l'absurde reflètent ce constat. Il n'y a plus d'attaques délibérées envers autrui. L'irrévérence laisse place à un humour plus gentil, inoffensif, qui se cache derrière le masque de la naïveté, de la fantaisie et d'un ludisme enfantin. En restant flou et en ne prenant

---

14. Louise Richer, directrice de l'École nationale de l'humour du Québec, témoignage sur l'humour absurde, rencontre à Montréal, 20 juillet 2005.
15. Jean-Thomas Jobin, témoignage sur l'humour absurde, rencontre à Montréal, 20 juillet 2005.

pas position ouvertement, cela protège l'ego des humoristes tout en laissant transparaître certains messages plus subtils qui peuvent, à l'occasion, devenir très révélateurs.

Ce contrepoids qu'exerce l'humour absurde moderne, et qui est lié au contexte psychosocial et sociopolitique du Québec actuel, exprime quelque chose de particulier en soi. Ce qui devient toutefois intéressant, c'est de le comparer avec certains courants de pensée qui l'ont précédé, comme la pataphysique, le dadaïsme, le surréalisme et le théâtre de l'absurde. On en conclut que les mécanismes de pensée demeurent généralement similaires, mais que la cause et les objectifs poursuivis diffèrent. La figure 14.3 en témoigne :

FIGURE 14.3

Tableau comparatif entre ce que cherche à exprimer l'humour absurde moderne québécois et les courants de pensée dans lesquels il s'inscrit

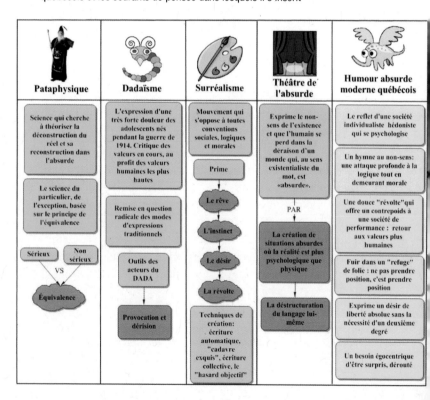

Retour sur les trois pistes de réflexion

Bien que mes pistes de réflexion rejoignent plus particulièrement certains humoristes de l'absurde au Québec, je crois que la véritable réponse à ma question principale se retrouve à mi-chemin entre chacune de mes trois hypothèses, et ce en les combinant. Il est tout de même intéressant de s'y attarder séparément une dernière fois afin d'extraire le vrai du faux.

Mourir, c'est vraiment absurde!

En voulant savoir ce que cherche à exprimer l'humour absurde moderne québécois, j'ai émis, dans le premier chapitre, l'hypothèse que l'humour absurde moderne chercherait à exprimer un désir de ramener l'être humain à l'avant-plan et à ses angoisses profondes en traitant des grandes questions existentielles, métaphysiques, tragiques et universelles. Si l'humour est le reflet de quelque chose, l'humour absurde refléterait le «chaos social» dans lequel nous sommes plongés et où tout peut arriver.

Si j'associe plus naturellement l'humour absurde psychoaffectif des Chick'n Swell à l'hypothèse numéro 1, et qu'eux-mêmes s'identifient à celle-ci, il serait faux de dire que cette philosophie s'étend à tous les humoristes de l'absurde au Québec. «Je n'ai pas le goût de parler de mon angoisse de la mort[16]», révèle Jean-Thomas Jobin. Sans traiter explicitement des grandes questions existentielles, je considère cependant que l'humour absurde moderne, toutes catégories confondues, cherche réellement à exprimer une psychologisation de l'individu. De plus, il répond à ce double besoin de s'évader d'un monde «trop» ordonné, réglementé, et de traduire le «chaos angoissant» des possibilités qui s'offrent à l'individu moderne. À l'image du cycle de la vie, l'humour absurde moderne n'a pas réellement de sens absolu et c'est pourquoi je le considère comme très «réaliste». Ainsi, un steak méchant, une guitare qui parle, un magicien chauve, un coin de table ou un lampadaire redeviennent tous des objets «vierges» de sens qui sont

---

16. *Ibid.*

dignes d'intérêt. C'est pataphysique! L'humoriste donne un sens à sa vie en faisant de l'absurde et en recréant sa propre logique.

Une réponse au besoin de liberté de l'individu!

L'humour absurde viendrait combler un besoin de nouveauté et d'étonnement constant afin de repousser les limites de la «non-pertinence» et de l'illusion du «n'importe quoi». Il chercherait aussi à défier la logique et le bon sens, à faire rire par plaisir sans message précis ni deuxième degré. Cet humour spontané n'agresse pas et ne se leste ni d'intention ni de justification.

Cette hypothèse rationnelle et plus logique, qui recoupe avec une plus grande majorité d'humoristes de l'absurde moderne, dénote l'importance du concept de «surprise» dans un procédé humoristique. Ce besoin d'être dérouté, déstabilisé, qui pousse l'humoriste à se surprendre lui-même car il a de la difficulté à rire de l'humour dit plus commun, vient renflouer ce désir de constante nouveauté. C'est un peu comme l'image d'un narcomane qui a besoin d'une dose toujours plus forte afin de retrouver le même état euphorique.

Pourquoi l'humour devrait-il avoir nécessairement un deuxième sens? Entre la gratuité et l'humour engagé, l'humoriste absurde moderne revendique le droit d'être différent, à contre-courant. Le but premier de l'humour n'est-il pas avant tout de faire rire et de divertir? Anarchique dans sa vision des choses, pour se démarquer, l'humoriste enfreint les règles du monologue standard et repousse les frontières de l'irrationnel. Quoi qu'il en soit, c'est concluant: l'humour absurde moderne exprime bel et bien un besoin de liberté absolue.

Un mécanisme de «défense» social

Sur le plan sociopolitique, l'humour absurde serait une sorte de mécanisme de défense social, une réponse à un état de morosité à la suite d'une agression ou d'une désillusion quelconque. L'humour absurde serait une manière de contester ou de riposter en délaissant la scène politique et en se recréant une réalité personnelle, hermétique et plus agréable.

Les gens qui aiment cette forme d'humour apprécient sûrement qu'on les détache complètement des méandres de leur quotidien et de l'actualité des dialogues. Des situations totalement dénuées de sens, qui ne s'accrochent absolument à rien, ont quelque chose de déroutant qui peut donner matière à rire[17].

Cette hypothèse très «psychanalytico-sociale» avec son idée de mécanisme de «défense» et de «contestation», a été partiellement confirmée. En effet, l'énoncé de Daniel Grenier, appuyé par Jean-Thomas Jobin, qui affirme que «ne pas prendre position, c'est prendre position[18]», le démontre. De plus, dans la société actuelle, il y a bel et bien un désir de fuir la réalité et l'humour absurde moderne n'est qu'un moyen encore plus éclaté de le faire. Des questions demeurent toutefois sans réponse : s'il y a un désengagement collectif à l'égard de la politique, est-ce parce qu'il règne un sentiment d'impuissance et de «je-m'en-foutisme» généralisé ? Si l'humour est un mécanisme de défense et qu'il y autant d'humoristes au Québec, c'est qu'il y a forcément une «agression» quelque part ?

L'historien Robert Aird soulève l'idée que les vagues de l'absurde au Québec correspondent aux périodes post-mortem des deux défaites référendaires de 1980 et 1995. Même si cet énoncé s'éloigne de mon champ de compétences, je dois reconnaître que je n'ai pu le contredire dans cet essai. Les balbutiements de Bruno Blanchet, que je considère comme étant le «père» de l'absurde moderne au Québec, se sont fait entendre dans les années qui ont suivi le deuxième référendum, soit 1996 et 1997.

---

17. Robert Aird, cité par David Savoie, «L'envol de l'absurde», *Le Droit*, 20 septembre 2004, p. 25.
18. Daniel Grenier, témoignage sur l'humour absurde, rencontre à Montréal, 20 juillet 2005.

Conclusion

J e crois avoir pu démontrer dans cet essai la profondeur de
l'humour absurde moderne québécois et son lien direct avec
la société par une approche psychosociale et une analyse de
contenu. En tentant de traduire ce que cherche à exprimer cette
forme d'humour au moyen d'un essai théorique, je considère avoir
exploré un vaste territoire me permettant d'avoir un point de vue
autant de l'extérieur que de l'intérieur. Les témoignages recueillis
sont assez révélateurs. Je suis demeuré objectif dans ma «subjec-
tivité» tout en appliquant un angle généraliste et plus pointu aux
moments opportuns. Ne pas se limiter à une approche, être intuitif
et «ressentir» son objet d'étude plutôt que de l'analyser froidement
est, à mon sens, essentiel pour bien comprendre la complexité de
l'humour absurde moderne et de l'humour en général. Je ne suis
pas en train de dire que cette méthode ne comporte pas de lacunes,
mais, pour ce qui a trait à ce livre, de façon globale, mes objectifs
sont atteints. Dans un premier temps, je voulais définir l'humour
absurde moderne québécois, le catégoriser par rapport aux autres
styles semblables et le rendre intelligible aux gens qui ne sont pas
nécessairement des adeptes de cette forme d'humour, de ses
mécanismes et de sa philosophie. C'est une sorte d'introduction
101 à l'absurde moderne qui nécessite, à mon avis, une certaine
prédisposition et une réceptivité afin de pouvoir l'apprécier. Dans
un deuxième temps, je voulais démontrer la profondeur de
l'humour absurde moderne au-delà du «vide» ainsi que son lien
direct avec le contexte psychosocial dans lequel il prend forme, en
dressant un portait concret et analytique de l'absurde au Québec
aujourd'hui.

Cela dit, je considère qu'il y aurait matière à poursuivre une analyse de contenu encore plus poussée sur chacun des humoristes traités, sur le plan tant sémiologique, anthropologique que psychanalytique. C'est pourquoi j'encourage fortement toute recherche éventuelle sur l'humour en général, car cela permettra d'en savoir davantage sur les richesses de ce véritable véhicule de désirs inconscients et sur la société dans laquelle il se trouve.

L'humour de demain

De quoi aura l'air la société québécoise de demain? Quel type d'humour rayonnera? À quels besoins répondra-t-il? Bien malin celui qui peut prédire à quoi ressemblera le paysage humoristique du Québec de demain. Si l'on se fie toutefois à certaines tangentes actuelles, il devient alors possible d'extrapoler quelque peu. Ces dernières années, il y a eu plusieurs réactions à l'égard de l'omniprésence de l'absurde et du non-engagement des humoristes en général dans les affaires publiques et politiques. Ces débats de société ont créé une demande pour ce genre d'humour et les succès de Jean-François Mercier, Guy Nantel, du groupe engagé les Zapartistes ou encore les Justiciers masqués en témoignent. Bref, la réaction est simple : lorsqu'il y a trop d'absurde dans l'air, un besoin se crée et les gens réclament un autre type d'humour pour équilibrer la situation. Avec les débats sur la question constitutionnelle qui refont surface, le conflit étudiant qui a mené au printemps érable, la commission d'enquête sur la construction lancée par Jean Charest, le phénomène international Occupy Wall Street et d'autres sujets chauds de l'actualité, il n'est pas étonnant de voir que l'humour politique gagne en popularité. La naissance de la Coalition des humoristes indignés (CHI) en témoigne d'ailleurs. Toutefois, si la scène de l'humour devient « sur-politisée » à son tour, le public réclamera autre chose. C'est relativement cyclique comme processus. Un cycle qui n'est cependant jamais parfait, car on assiste à une combinaison et à une fusion de plusieurs styles. Les gens ne veulent pas non plus que l'humour se rétrograde, mais qu'il continue plutôt à évoluer, à surprendre tout en conservant le « meilleur » de chaque style.

Bien que je puisse me tromper, je crois que l'humour absurde moderne a atteint son apogée en matière de popularité et que son ascension est terminée. Il y avait un besoin d'absurde dans la société québécoise, il a émergé et risque dorénavant de plafonner. L'absurde moderne va survivre et ceux qui ont été séduits par ce style resteront fidèles, mais cette forme d'humour risque de sortir de sa propre bulle imaginaire et de muter, une fois de plus, en se combinant avec d'autres genres. À présent, la nouveauté se trouve ailleurs ou dans le renouvellement du style en question. Selon Louise Richer, directrice de l'École nationale de l'humour du Québec, les dernières cohortes d'étudiants reflètent déjà ce besoin d'humour plus engagé socialement.

À quoi ressemblera donc l'humour de demain? J'ai une petite théorie à ce sujet. À mon avis, l'humour marginal d'aujourd'hui devient l'humour médiatisé et commercial de demain. Qui sont les marginaux d'aujourd'hui? Particulièrement la jeunesse. Ainsi, si je me fie à l'humour que j'entends dans les couloirs d'universités ou d'autres milieux où se tiennent les jeunes, je peux dès lors affirmer que «si la tendance se maintient, Simon Papineau croit que l'humour québécois de demain sera plus "engagé", à cheval entre l'humour noir, l'absurde, la satire sociale et l'auto-dérision». Ce style d'humour restera toujours fondamentalement humain et ira encore plus loin dans la psychologisation de l'individu. Je pense ici par exemple à la tangente prise par l'humour existentiel et philosophique d'André Sauvé ou à celui du jeune humoriste Benoît Lefebvre dans ses chroniques hebdomadaires du journal le *Métro*. Outre la psychologisation, en réponse à un humour trop gentil et politiquement correct, je crois que l'humour de demain sera davantage provocateur, dérisoire et «naïvement vulgaire». D'ailleurs cette tendance n'aurait-elle pas déjà commencé? Ne suis-je pas en train de définir, en quelque sorte, le style humoristique préconisé par Jean-François Mercier, gagnant du trophée de l'humoriste de l'année au gala des Oliviers de 2011? Cet humoriste au franc-parler parfois décontenançant pratique un style un brin irrévérencieux et provocateur. Brillant, Mercier se cache, par moments, derrière le masque de son personnage du «gros cave» pour sortir quelques blagues plus grasses et salées qui cherchent souvent à dénoncer certaines aberrations sociales tout en repoussant les limites de l'acceptable. Il s'était d'ailleurs présenté comme candidat indépendant dans la circonscription de Chambly-Borduas aux élections fédérales de 2011 afin d'émettre une certaine critique du système politique actuel en tournant le tout en dérision avec son slogan de campagne : *Là c't'assez tabarnak!*

Au risque de généraliser, je crois que l'humour de demain nous permettra d'assister à une fusion des genres entre l'audace de Jean-François Mercier, «l'existentialisme» d'André Sauvé, l'absurde des Chick'n Swell, la satire sociale de RBO ainsi que l'humour décapant de *South Park* et l'adulescence de *Jackass*. Il est difficile d'imaginer à quoi ressemblera un tel cocktail humoristique! Néanmoins, j'ai l'impression qu'à défaut de sublimer sa «frustration» à l'égard du système, en se réfugiant dans un monde absurde, l'humoriste de demain ressentira le besoin de l'évacuer autrement et de la projeter sur des cibles bien précises ancrées dans la réalité. Je dirais même plus! Le concept de «l'indifférence face au sens» propre à l'humour absurde moderne risque de se modifier en une hyper-conscience de ce qui nous entoure. Avec les nouveaux enjeux planétaires indéniables qui se pointent à l'horizon, tels que le réchauffement climatique, la surpopulation, l'épuisement des ressources naturelles, les problèmes éthiques liés à l'élevage industriel, le spectre d'une crise économique mondiale, la pollution et autres, il deviendra de plus en plus difficile de jouer à l'autruche sans se sentir concerné. Avec la prise de conscience des échecs provisoires de nos modes de vie, l'humour s'en trouvera dès lors affecté. Ainsi, sous l'angle psychosocial, l'ultime certitude reste que l'humour sera toujours le reflet inconscient de la société dans laquelle il se trouve.

> Notre époque n'est pas celle de la fin de la modernité, mais celle qui enregistre l'avènement d'une nouvelle modernité : l'hypermodernité. Un peu partout nos sociétés sont emportées par l'escalade du toujours plus, toujours plus vite, toujours plus extrême dans toutes les sphères de la vie sociale et individuelle : finance, consommation, communication, information, urbanisme, sport, spectacles… Nullement une post-modernité mais une modernisation hyperbolique, le parachèvement de la modernité. Jusqu'alors la modernité fonctionnait encadrée ou freinée par tout un ensemble de contrepoids et contre-modèles. Cette époque s'achève[1].

---

1. Wikipédia, *L'encyclopédie ouverte*, en ligne, 2012, citation de Gilles Lipovetsky au sujet de l'hypermodernité, http://fr.wikipedia.org/wiki/Hypermodernité.

Épilogue

L'écriture de cet ouvrage s'est faite en deux phases. C'est d'abord pour une maîtrise en communication à l'UQAM en 2005 que j'ai rédigé l'essentiel de cet essai. À l'époque, l'humour absurde moderne était sur son erre d'aller et bénéficiait d'un véritable *momentum* dans la société avec les Chick'n Swell, les Denis Drolet, Jean-Thomas Jobin et compagnie. Aujourd'hui, bien que l'apogée de la vague absurde ait été atteinte, la présence de cette forme d'humour dans le paysage québécois est encore bien palpable et en révèle toujours sur la réalité psychosociale actuelle. De plus, même si quelques années se sont écoulées entre la phase de rédaction du mémoire de maîtrise et celle pour la mise en marché du présent ouvrage, les analyses faites sont toujours d'actualité et d'autant plus valides car cette période de temps aura permis de faire mûrir certaines réflexions et de voir évoluer cette forme d'humour.

Remerciements

J e voudrais d'abord remercier le regretté Jean-Pierre Desaulniers, mon directeur de recherche, qui m'aura encadré jusqu'à la fin. Je serai toujours reconnaissant pour cet ancien professeur du Département des communications de l'UQAM qui a été le premier à croire en la pertinence de ce sujet. Intellectuel possédant une vision plus pragmatique, M. Desaulniers était un analyste marginal qui a été le modèle de plusieurs étudiants en transmettant sa passion pour la culture populaire. Sa méthode particulière étant plus ouverte, elle laissait place à l'originalité et sollicitait l'autonomie. Il avait cette facilité d'amener l'étudiant à se surpasser et à le sortir du modèle standard universitaire « mécanico-objectif » qu'il appréciait plus ou moins, au profit d'un style d'écriture plus personnalisé qui n'affaiblit en rien la rigueur des propos. J'ai donc particulièrement apprécié cette latitude permise et adoptée par Jean-Pierre Desaulniers ainsi que celle qui a été poursuivie par Jean Décarie, mon second directeur de maîtrise.

En deuxième lieu, j'aimerais remercier tout spécialement Louise Richer, directrice de l'École nationale de l'humour, pour son enthousiasme et sa complicité. Elle m'a permis de m'entretenir avec certains humoristes de l'absurde, étoffant du même coup les propos tenus dans cet essai. J'en profite pour remercier également Daniel Grenier, Simon-Olivier Fecteau et Jean-Thomas Jobin de s'être aimablement prêtés au jeu d'un débat sur le sens de l'humour absurde.

Merci aussi à Steve Proulx, chroniqueur à *Voir*, pour avoir offert une belle vitrine à mon sujet en rédigeant un article consacré aux temps absurdes en avril 2010. C'est entre autres grâce à cette tribune que le projet a eu une seconde vie car elle a su interpeller Christian Boissinot ainsi que les Presses de l'Université Laval pour donner véritablement naissance à ce bouquin. Je voudrais d'ailleurs terminer cette ronde de remerciements avec une mention spéciale à Christian Boissinot qui m'aura encadré plus précisément lors de la deuxième phase de rédaction et sans qui cette publication n'aurait pu avoir lieu.

Bibliographie

Ouvrages

AIRD, Robert, 2004, *L'histoire de l'humour au Québec de 1945 à nos jours*, VLB éditeur, 165 p.

BAILLARGEON, Normand, et Christian BOISSINOT, 2010, *Je pense donc je ris*, PUL, Québec, 245 p.

BRETON, André, 1966, *Anthologie de l'humour noir*, Paris, J.-J. Pauvert, 591 p.

CAILLOIS, Roger, 1967, *Les jeux et les hommes*, Paris, Gallimard, 372 p.

CAMUS, Albert, 1942, *Le mythe de Sisyphe*, Paris, Gallimard, 187 p.

HESSE, Hermann, 2002, *L'Art de l'oisiveté*, Calmann-Lévy, 243 p.

LAFFAY, Albert, 1970, *Anatomie de l'humour et du nonsense*, Paris, Masson, 159 p.

LIPOVETSKY, Gilles, 1983, *L'Ère du vide : essais sur l'individualisme contemporain*, Paris, Gallimard, 336 p.

PLAZY, Gilles, 1994, *Eugène Ionesco*, Paris, Julliard, 299 p.

VALLEUR, Marc, et Jean-Claude MATYSIAK, 2003, *Sexe, passion et jeux vidéo : les nouvelles formes d'addiction*, Paris, Flammarion, 282 p.

Articles de périodiques sur l'humour absurde québécois

BEAUNOYER, Jean, « De Marielle Léveillée à Anita il y a un monde… de tupperware », *La Presse*, 26 septembre 1998, p. D1.

LACHANCE, Micheline, « La loi du désir », *L'Actualité*, 15 avril 2004, p. 82.

SAVOIE, David, «L'envol de l'absurde», *Le Droit*, 20 septembre 2004, p. 25.

Articles de périodiques sur des humoristes de l'absurde

BEAUNOYER, Jean, «Bruno Blanchet, le pataphysicien de la télé», *La Presse*, 24 novembre 1997, p. B9.

BOULANGER, Luc, «Claude Meunier, la vie après l'amour», *Voir*, vol. 17, n° 13, 3 avril 2003, p. 16.

ÉMOND-FERRAT, Jessica, «Du non-sens à l'absurde», *Métro*, 57 novembre 2010, p. 17.

GARIÉPY, François, «Jean-Thomas Jobin : sans bon sens», *Voir*, 17 juin 2004 (source : www.voir.ca).

HOULE, Nicolas, «Les Denis Drolet, le grand rire brun», *Le Soleil*, 6 juin 2003, p. B3.

LAVOIE, Kathleen, «L'ordre dans le désordre : Chick'n Swell, un trio drôle et un drôle de trio», *Le Soleil* (Québec), 21 mars 2000, p. C5.

LAVOIE, Kathleen, «Douze questions absurdes aux Denis Drolet», *Le Soleil*, 28 février 2004 (source : www.cyberpresse.ca).

LESAGE, Valérie, «Un saut dans l'absurde avec Jean-Thomas Jobin», *Le Soleil* (Québec), 14 juin 2004 (source : www.cyberpresse.ca).

LIMOUSIN, Sandra, «Joie de rire : les Appendices», journal étudiant *Quartier libre*, Université de Montréal, vol. 12, n° 16, 20 avril 2005.

RENAUD, Philippe, «Les Denis Drolet : Noyeux Joël !», *La Presse*, Arts et spectacles, 28 décembre 2002, p. D13.

THERRIEN, Richard, «Phylactère Cola, super héros de l'humour absurde», *Le Soleil* (Québec), 21 janvier 2003, p. B1.

Corpus et documents audiovisuels

BLANCHET, Bruno, 2000, *Choses à ne pas faire*, Montréal, Les Intouchables, 170 p.

CHICK'N SWELL, 2004, *Chick'n Swell : saison 1*, série télévisée. Textes des Chick'n Swell : Daniel GRENIER, Simon-Olivier FECTEAU et Francis ClLOUTIER, Montréal, DVD Zone 1, 360 min.

CHICK'N SWELL, 2005, *Chick'n Swell: saison 2*, série télévisée. Textes des Chick'n Swell : Daniel GRENIER, Simon-Olivier FECTEAU et Francis CLOUTIER, Montréal, DVD Zone 1, 330 min.

CHICK'N SWELL, 2005, *Victo Power*, enregistrement sonore, Montréal, La Tribu.

Gala des Oliviers, 29 février 2004, gala qui récompense les humoristes de l'année, discours de Jean-Thomas Jobin, Montréal, TVA.

GRÉGOIRE, Marc, Yves ASSELIN et Claude ST-ANDRÉ, 26 novembre 2004, *Debout les comiques : le rire absurde*, Astral Média et Canal D.

GROULX, Patrick, 2005, *Le Groulx luxe : série 2*, série télévisée. Texte de Patrick Groulx, réalisation Raphaël Ouellet, Montréal, DVD Zone 1, Galilée.

Le Grand Blond avec un show sournois, saison 2003, émission de variétés, les chroniques de Jean-Thomas Jobin au « Club Labrèche », Montréal, TVA.

LES COWBOYS FRINGANTS, 2000, *Motel Capri*, enregistrement sonore Montréal, La Tribu.

LES COWBOYS FRINGANTS, 2001, *12 Grandes Chansons – Sur mon canapé*, enregistrement sonore, Montréal, La Tribu.

LES DENIS DROLET, 2002, *Les Denis Drolet*, enregistrement sonore, Montréal, JKP musique, distribution Sélect.

LES DENIS DROLET, 2005, *Au pays des Denis*, enregistrement DVD, réalisation Luc Sirois, Montréal, JKP musique, 180 min.

LES DENIS DROLET, 2006, *2D*, enregistrement sonore, Montréal, JKP musique.

Les Pieds dans la marge, 2008, *Les Pieds dans la marge : saison 1*, série télévisée, Radio-Canada, Montréal, DVD, 425 min.

Les pourris de talent, 23 septembre 2004, concours variétés animé par les Denis Drolet, prestation du groupe Les Pas fiables, textes de Luc MICHAUD et Isabelle GAUTHIER, Montréal, Musique plus.

LES TROIS ACCORDS, 2003, *Gros Mammouth album turbo*, Montréal, Productions Indica et Phonoscope.

PÉPÉ ET SA GUITARE, 2005, *Fakek Chose*, enregistrement sonore, Montréal, La Tribu.

PHYLACTÈRE COLA, 2003, *Phylactère Cola, saison 2003*, réalisation Psychopat, Montréal, DVD, Sogestalt, 250 min.

ROCK ET BELLES OREILLES, 2002, *Rock et belles oreilles : The coffret*, série télévisée sur DVD, Montréal, Amérimage-Spectra, 936 min.

Sites Internet

http://www.angelfire.com/ar/ernst
www.brunoblanchet.tripod.com
www.cyberpresse.ca
www.hahaha.com
www.jeanthomasjobin.com
www.ilederien.com
www.lesappendices.com
www.lesdenisdrolet.com
http://membres.lycos.fr/jeanthomasjobin
www.musiqueplus.com
www.phylacterecola.com
www.radio-canada.ca
http://tva.canoe.com/emissions/lecoeurasesraisons/
http://tva.canoe.com/emissions/sketchshow/
www.voir.ca
www.wikipedia.com

Ouvrages de références

Le Larousse 2012.
LOVE, Brenda B., 2000, *Dictionnaire des fantasmes et perversions*, Paris, Éditions Blanche, 514 p.

Entrevues

Entretien avec André Sauvé, à Joliette, le 27 mai 2011.
Entrevue avec Simon-Olivier Fecteau, Daniel Grenier, Jean-Thomas Jobin, Louise Richer et Pierre-Michel Tremblay, à Montréal, le 20 juillet 2005.

RECYCLÉ
Papier fait à partir
de matériaux recyclés
FSC® C103567

Marquis imprimeur inc.

Québec, Canada
2012

Imprimé sur du papier Silva Enviro 100% postconsommation
traité sans chlore, accrédité ÉcoLogo et fait à partir de biogaz.